新潮文庫

キッチン

吉本ばなな著

新潮社版

6926

目次

キッチン

キッチン

私がこの世でいちばん好きな場所は台所だと思う。

どこのでも、どんなのでも、それが台所であれば食事を作る場所であれば私はつらくない。できれば機能的でよく使い込んであるといいと思う。乾いた清潔なふきんが何枚もあって白いタイルがぴかぴか輝く。

ものすごく汚い台所だって、たまらなく好きだ。

床に野菜くずが散らかっていて、スリッパの裏が真っ黒になるくらい汚いそこは、異様に広いといい。ひと冬軽く越せるような食料が並ぶ巨大な冷蔵庫がそびえ立ち、その銀の扉に私はもたれかかる。油が飛び散ったガス台や、さびのついた包丁からふと目を上げると、窓の外には淋《さび》しく星が光る。

私と台所が残る。自分しかいないと思っているよりは、ほんの少しましな思想だと思う。

本当に疲れ果てた時、私はよくうっとりと思う。いつか死ぬ時がきたら、台所で息絶えたい。ひとり寒いところでも、誰かがいてあたたかいところでも、私はおびえずにちゃんと見つめたい。台所なら、いいなと思う。

田辺家に拾われる前は、毎日台所で眠っていた。

どこにいてもなんだか寝苦しいので、部屋からどんどん楽なほうへと流れていったら、冷蔵庫のわきがいちばんよく眠れることに、ある夜明け気づいた。

私、桜井みかげの両親は、そろって若死にしている。そこで祖父母が私を育ててくれた。中学校へ上がる頃、祖父が死んだ。そして祖母と二人でずっとやってきたのだ。

先日、なんと祖母が死んでしまった。びっくりした。

家族という、確かにあったものが年月の中でひとりひとり減っていって、自分がひとりここにいるのだと、ふと思い出すと目の前にあるものがすべて、うそに見えてくる。生まれ育った部屋で、こんなにちゃんと時間が過ぎて、私だけがいるなんて、驚きだ。

まるでSFだ。宇宙の闇《やみ》だ。

葬式がすんでから三日は、ぼうっとしていた。

涙があんまり出ない飽和した悲しみにともなう、柔らかな眠けをそっとひきずっていって、しんと光る台所にふとんを敷いた。ライナスのように毛布にくるまって眠る。冷蔵庫のぶーんという音が、私を孤独な思考から守った。そこでは、結構安らかに長い夜が行き、朝が来てくれた。

ただ星の下で眠りたかった。

朝の光で目覚めたかった。

それ以外のことは、すべてただ淡々と過ぎていった。


しかし！　そうしてばかりもいられなかった。現実はすごい。

祖母がいくらお金をきちんと残してくれたとはいえ、ひとりで住むにはその部屋は広すぎて、高すぎて、私は部屋を探さねばならなかった。

仕方なく、アパ××情報を買ってきてめくってみたが、こんなに並ぶたくさんの同じようなお部屋たちを見ていたら、くらくらしてしまった。引っ越しは手間だ。パワーだ。

私は、元気がないし、日夜台所で寝ていたら体のふしぶしが痛くて、このどうでもよく思える頭をしゃんとさせて、家を見にいくなんて！　荷物を運ぶなんて！　電話を引くなんて！

と、いくらでもあげられる面倒を思いついては絶望してごろごろ寝ていたら、奇跡がボタもちのように訪ねてきたその午後を、私はよくおぼえている。

ピンポンとふいにドアチャイムが鳴った。

薄曇りの春の午後だった。私は、アパ××情報を横目で見るのにすっかり飽きて、どうせ引っ越すなら雑誌をヒモでしばる作業に専念していた。あわてて半分寝まきみたいな姿で走り出て、なにも考えずにドアのカギをはずしてドアを開いた。(強盗でなくてよかった)そこには田辺雄一が立っていた。

「先日はどうも。」

と私は言った。葬式の手伝いをたくさんしてくれた、ひとつ歳下《としした》のよい青年だった。聞けば同じ大学の学生だという。今は私は大学を休んでいた。

「いいえ。」彼は言った。「住む所、決まりましたか?」

「まだ全然。」

私は笑った。

「やっぱり。」

「上がってお茶でもどうですか?」

「いいえ。今、出かける途中で急ぎですから。」彼は笑った。「伝えるだけちょっと、と思って。母親と相談したんだけど、しばらくうちに来ませんか。」

「え?」

私は言った。

「とにかく今晩、七時頃うちに来て下さい。これ、地図。」

「はあ。」私はぼんやりそのメモを受けとる。

「じゃ、よろしく。みかげさんが来てくれるのをぼくも母も楽しみにしてるから。」

彼は笑った。あんまり晴れやかに笑うので見慣れた玄関に立つその人の、瞳《ひとみ》がぐんと近く見えて、目が離せなかった。ふいに名を呼ばれたせいもあると思う。

「……じゃ、とにかくうかがいます。」

悪く言えば、魔がさしたというのでしょう。しかし、彼の態度はとても〝クール〟だったので、私は信じることができた。目の前の闇には、魔がさす時いつもそうなように、一本道が見えた。白く光って確かそうに見えて、私はそう答えた。

彼は、じゃ後で、と言って笑って出ていった。

私は、祖母の葬式までほとんど彼を知らなかった。葬式の日、突然田辺雄一がやってきた時、本気で祖母の愛人だったのかと思った。焼香しながら彼は、泣きはらした瞳を閉じて手をふるわせ、祖母の遺影を見ると、またぽろぽろと涙をこぼした。

私はそれを見ていたら、自分の祖母への愛がこの人よりも少ないのでは、と思わず考えてしまった。そのくらい彼は悲しそうに見えた。

そして、ハンカチで顔を押さえながら、

「なにか手伝わせて下さい。」

と言うので、その後、いろいろ手伝ってもらったのだ。

たのだろう。
その名を、祖母からいつ聞いたのかを思い出すのにかなりかかったから、混乱してい
田辺、雄一。
彼は、祖母の行きつけの花屋でアルバイトしていた人だった。いい子がいて、田辺く
んがねえ、今日もね……というようなことを何度も耳にした記憶があった。切り花が好
きだった祖母は、いつも台所に花を絶やさなかったので、週に二回くらいは花屋に通っ
ていた。そういえば、一度彼は大きな鉢植えを抱えて祖母のうしろを歩いて家に来たこ
ともあった気がした。
彼は、長い手足を持った、きれいな顔だちの青年だった。素姓はなにも知らなかった
が、よく、ものすごく熱心に花屋で働いているのを見かけた気もする。ほんの少し知っ
た後でも彼のその、どうしてか〝冷たい〟印象は変わらなかった。ふるまいや口調がど
んなにやさしくても彼は、ひとりで生きている感じがした。つまり彼はその程度の知り
合いにすぎない、赤の他人だったのだ。
夜は雨だった。しとしとと、あたたかい雨が街を包む煙った春の夜を、地図を持って
歩いていった。
田辺家のあるそのマンションは、うちからちょうど中央公園をはさんだ反対側にあっ
た。公園を抜けていくと、夜の緑の匂《にお》いでむせかえるようだった。濡《ぬ》れて光る小路《こみち》が虹《にじ》

色《いろ》に映る中を、ぱしゃぱしゃ歩いていった。

私は、正直言って、呼ばれたから田辺家に向かっていただけだった。なーんにも、考えてはいなかったのだ。

その高くそびえるマンションを見上げたら彼の部屋がある十階はとても高くて、きっと夜景がきれいに見えるんだろうなと私は思った。

エレベーターを降り、廊下に響き渡る足音を気にしながらドアチャイムを押すと雄一がいきなりドアを開けて、

「いらっしゃい。」

と言った。

おじゃまします、と上がったそこは、実に妙な部屋だった。

まず、台所へ続く居間にどかんとある巨大なソファに目がいった。その広い台所の食器棚を背にして、テーブルを置くでもなく、じゅうたんを敷くでもなくそれはあった。ベージュの布張りで、CMに出てきそうな、家族みんなですわってTVを観《み》そうな、横に日本で飼えないくらい大きな犬がいそうな、本当に立派なソファだった。

ベランダが見える大きな窓の前には、まるでジャングルのようにたくさんの植物群が鉢やらプランターやらに植わって並んでいて、家中よく見ると花だらけだった。いたる所にある様々な花びんに季節の花々が飾られていた。

「母親は今、店をちょっと抜けてくるそうだから、よかったら家の中でも見てて。案内しようか？　どこで判断するタイプ？」

　お茶を淹《い》れながら雄一が言った。

「なにを？」

　私がその柔らかなソファにすわって言うと、

「家と住人の好みを。トイレ見るとわかるとか、よく言うでしょ。」

　彼は淡々と笑いながら、落ち着いて話す人だった。

「台所。」

　と私は言った。

「じゃ、ここだ。なんでも見てよ。」

　彼は言った。

　私は、彼がお茶を淹れているうしろへまわり込んで台所をよく見た。

　板張りの床に敷かれた感じのいいマット、雄一のはいているスリッパの質の良さ——必要最小限のよく使い込まれた台所用品がきちんと並んでかかっている。シルバーストーンのフライパンと、ドイツ製皮むきはうちにもあった。横着な祖母が、楽してするする皮がむけると喜んだものだ。

　小さな蛍光灯に照らされて、しんと出番を待つ食器類、光るグラス。ちょっと見ると全くバラバラでも、妙に品のいいものばかりだった。特別に作るもののための……たとえばどんぶりとか、グラタン皿とか、巨大な皿とか、ふたつきのビールジョッキとかがあるのも、なんだかよかった。小さな冷蔵庫も、雄一がいいと言うので開けてみたら、きちんと整っていて、入れっぱなしのものがなかった。

うんうんうなずきながら、見てまわった。いい台所だった。私は、この台所をひと目でとても愛した。

ソファに戻ってすわると、熱いお茶が出た。

ほとんど初めての家で、今まであまり会ったことのない人と向かい合っていたら、なんだかすごく天涯孤独な気持ちになった。

雨に覆《おお》われた夜景が闇ににじんでゆく大きなガラス、に映る自分と目が合う。

世の中に、この私に近い血の者はいないし、どこへ行ってなにをするのも可能だなんてとても豪快だった。

こんなに世界がぐんと広くて、闇はこんなにも暗くて、その果てしない面白さと淋《さび》しさに私は最近初めてこの手でこの目で触れたのだ。今まで、片目をつぶって世の中を見てたんだわ、と私は、思う。

「どうして、私を呼んだんでしたっけ?」

私はたずねた。

「困ってると思って。」親切に目を細めて彼は言った。「おばあちゃんには本当にかわいがってもらったし、このとおりうちには無駄なスペースが結構あるから。あそこ、出なきゃいけないんでしょう？　もう。」

「ええ、今は大家の好意で立ちのきを引き延ばしてもらってたの。」

「だから、使ってもらおうと。」

と彼は当然のことのように言った。

彼のそういう態度が決してひどくあたたかくも冷たくもないことは、今の私をとてもあたためるように思えた。なぜだか、泣けるくらいに心にしみるものがあった。そうして、ドアがガチャガチャと開いて、ものすごい美人が息せききって走り込んできたのは、その時だった。

私はびっくりして目を見開いてしまった。かなり歳は上そうだったが、その人は本当に美しかった。日常にはちょっとありえない服装と濃い化粧で、私は彼女のおつとめが夜のものだとすぐに理解した。

「桜井みかげさんだよ。」

と雄一が私を紹介した。

彼女ははあはあ息をつきながら少しかすれた声で、

「初めまして。」と笑った。「雄一の母です。えり子と申します。」

これが母？　という驚き以上に私は目が離せなかった。肩までのさらさらの髪、切れ長の瞳の深い輝き、形のよい唇、すっと高い鼻すじ――そして、その全体からかもしだされる生命力の揺れみたいな鮮やかな光――人間じゃないみたいだった。こんな人見たことない。

私はぶしつけなまでにじろじろ見つめながら、

「初めまして。」

とほほえみ返すのがやっとだった。

「明日からよろしくね。」と彼女は私にやさしく言うと雄一に向き直り「ごめんね、雄一。全然抜けらんないのよ。トイレ行くって言ってダッシュしてきたのよ。今。朝なら時間とれるから、みかげさんには泊まってもらってね。」とせかせか言い、赤いドレスをひるがえして玄関に走っていった。

「じゃ、車で送ってやるよ。」

と雄一が言い、

「ごめんなさい、私のために。」

と私は言った。

「いやー、まさかこんなに店が混むなんて思ってなかったのよ。こちらこそごめんなさいね、じゃ、朝ね！」

高いヒールで彼女は駆けてゆき、雄一が、

「TVでも観て待ってて！」と言ってその後を追ってゆき、私はぽかんと残った。

——よくよく見れば確かに歳相応のしわとか、少し悪い歯並びとか、ちゃんと人間らしい部分を感じた。それでも彼女は圧倒的だった。もう一回会いたいと思わせた。心の中にあたたかい光が残像みたいにそっと輝いて、これが魅力っていうものなんだわ、と私は感じていた。初めて水っていうものがわかったヘレンみたいに、言葉が生きた姿で目の前に新鮮にはじけた。大げさなんじゃなくて、それほど驚いた出会いだったのだ。

車のキーをガチャガチャ鳴らしながら雄一は戻ってきた。

「十分しか抜けられないなら、電話入れればいいと思うんだよね。」

とたたきで靴を脱ぎながら彼は言った。

私はソファにすわったまま、

「はあ。」

と言った。

「みかげさん、うちの母親にビビった？」

彼は言った。

「うん、だってあんまりきれいなんだもの。」

私は正直に告げた。

「だって。」雄一が笑いながら上がってきて、目の前の床に腰をおろして言った。「整形してるんだもの。」

「え。」私は平静を装《よそお》って言った。「どうりで顔の作りが全然似てないと思ったわ。」

「しかもさあ、わかった？」本当におかしくてたまらなそうに彼は続けた。「あの人、男なんだよ。」

今度は、そうはいかなかった。私は目を見開いたまま無言で彼を見つめてしまった。まだまだ、冗談だって、という言葉をずっと待ってると思った。あの細い指、しぐさ、身のこなしが？　あの美しい面影を思い出して私は息をのんで待ったが、彼は嬉《うれ》しそうにしているだけだった。

「だって。」私は口を開いた。「母親って、母親って言ってたじゃない！」

「だって、実際に君ならあれを父さんって呼べる？」

彼は落ち着いてそう言った。それは、本当にそう思えた。すごく納得のいく答えだ。

「えり子って、名前は？」

「うそ。本当は雄司っていうみたい。」

私は、本当に目の前が真っ白く見えるようだった。そして、話を聞く態勢にやっと入れたので、たずねた。

「じゃあ、あなたを産んだのは誰？」

「昔は、あの人も男だったんだよ。」彼は言った。「すごく若い頃ね。それで結婚していたんだよね。その相手の女性がぼくの本当の母親なんだ。」

「どんな……人だったのかしら。」

見当がつかなくて私は言った。

「ぼくもおぼえてないんだ。小さい頃に死んじゃってね。写真あるけど、見る？」

「うん。」

私がうなずくと彼は自分のカバンをすわったままずるずるたぐり寄せて、札入れの中から古い写真を出して私に手渡した。

なんともいえない顔の人だった。短い髪、小さな目鼻。奇妙な印象の、歳《とし》がよくわからない女性の……私が黙ったままでいると、

「すごく変な人でしょう。」

と彼が言い、私は困って笑った。

「さっきのえり子さんはね、この写真の母の家に小さい頃、なにかの事情で引き取られて、ずっと一緒に育ったそうだ。男だった頃でも顔だちがよかったからかなりもてたらしいけど、なぜかこの変な顔の。」彼はほほえんで写真を見た。「お母さんにものすごく執着してねえ、恩を捨ててかけおちしたんだってさ。」

私はうなずいていた。

「この母が死んじゃった後、えり子さんは仕事を辞めて、まだ小さなぼくを抱えてなにをしようか考えて、女になることに決めたんだって。もう、誰も好きになりそうにないからってさ。女になる前はすごい無口な人だったらしいよ。半端《はんぱ》なことが嫌いだから、顔からなにからもうみんな手術しちゃってさ、残りの金でその筋の店をひとつ持ってさ、ぼくを育ててくれたんだ。女手ひとつでって言うの？ これも。」

彼は笑った。

「す、すごい生涯ね。」

私は言い、

「まだ生きてるって。」

と雄一が言った。

信用できるのか、なにかまだひそんでいるのか、この人たちのことは聞けば聞くほどよくわからなくなった。

しかし、私は台所を信じた。それに、似ていないこの親子には共通点があった。笑った顔が神仏みたいに輝くのだ。私は、そこがとてもいいと思っていたのだ。

「明日の朝はぼくいないから、あるものはなんでも使っていいよ。」

眠そうな雄一が毛布やら寝まきやらを抱えて、シャワーの使い方や、タオルの位置を説明していった。

身の上話（すごい）を聞いた後、あんまりちゃんと考えずに雄一とビデオを観《み》ながら花屋の話とか、おばあちゃんの話とかをしているうちに、どんどん時間が過ぎてしまったのだ。今や、夜中の一時だった。そのソファは心地良かった。一度かけると、もう二度と立ち上がれないくらいに柔らかくて深くて広かった。

「あなたのお母さんさ。」さっき私は言った。

「家具の所でこれにちょっとすわってみたら、どうしてもほしくなって買っちゃったんじゃない？」

「大当たり。」彼は言った。「あの人って、思いつきだけで生きてるからね。それを実現する力があるのが、すごいなと思うんだけど。」

「そうよね。」

私は言った。

「だから、そのソファは、当分君のものだよ。君のベッドだよ。」彼は言った。「使い道があって本当に良かった。」

「私。」私はかなりそっと言ってみた。「本当にここで眠っていいの？」

「うん。」

彼はきっぱり言った。

「……かたじけない。」

と私は言った。

彼は、ひととおりの説明を終えるとおやすみと言って自分の部屋へ戻っていった。

私も眠かった。

人の家のシャワーを浴びながら、自分はなにをしてるのかなと久しぶりに疲れが消えてゆく熱い湯の中で考えた。

借りた寝まきに着替えて、しんとした部屋に出ていった。ぺたぺたとはだしで台所をもう一回見に行く。やはり、よい台所だった。

そして、今宵私の寝床となったそのソファにたどり着くと、電気を消した。

窓辺で、かすかな明かりに浮かぶ植物たちが十階からの豪華な夜景にふちどられてそっと息づいていた。夜景——もう、雨は上がって湿気を含んだ透明な大気にきらきら輝いて、それはみごとに映っていた。

私は毛布にくるまって、今夜も台所のそばで眠ることがおかしくて笑った。しかし、孤独がなかった。私は待っていたのかもしれない。今までのことも、これからのこともしばらくだけの間、忘れられる寝床だけを待ち望んでいたのかもしれない。となりに人がいては淋しさが増すからいけない。でも、台所があり、植物がいて、同じ屋根の下には人がいて、静かで……ベストだった。ここは、ベストだ。

安心して私は眠った。

目が覚めたのは水音でだった。

まぶしい朝が来ていた。ぼんやり起き上がると、台所に〝えり子さん〟の後ろ姿があった。昨日に比べて地味な服装だったが、

「おはよう。」

と振り向いたその顔の派手さがいっそうひきたち、私はぱっと目が覚めた。

「おはようございます。」

と起き上がると、彼女は冷蔵庫を開けて困っている様子だった。私を見ると、

「いつもあたし、まだ寝てるんだけどなんだかおなかがへってねえ……。でも、この家なにもないのよね。出前とるけど、なに食べたい？」

と言った。

私は立ち上がって、

「なにか作りましょうか。」

と言った。

「本当に？」と言った後、彼女は「そんなに寝ぼけてて包丁持てる？」と不安そうに言った。

「平気です。」

部屋中がサンルームのように、光に満ちていた。甘やかな色の青空が果てしなく続いて見渡せて、まぶしかった。

お気に入りの台所に立てた嬉しさで目が冴《さ》えてくると、ふいに、彼女が男だというのを思い出してしまった。

私は思わず彼女を見た。嵐《あらし》のようなデジャヴーが襲ってくる。

光、降りそそぐ朝の光の中で、木の匂《にお》いがする、このほこりっぽい部屋の床にクッションを敷き、寝ころんでTVを観ている彼女がすごく、なつかしかった。

私の作った玉子がゆと、きゅうりのサラダを彼女は嬉しそうに食べてくれた。

真昼、春らしい陽気で、外からはマンションの庭で騒ぐ子供たちの声が聞こえる。

窓辺の草木は柔らかな陽ざしに包まれて鮮やかなみどりに輝き、はるかに淡い空に薄い雲がゆっくりと流れてゆく。

のんびりとした、あたたかい昼だった。

昨日の朝までは想像もありえなかった、見知らぬ人との遅い朝食の場面を私はとても不思議に感じた。

　テーブルがないもので、床に直接いろんなものを置いて食べていた。コップが陽にすけて、冷たい日本茶のみどりが床にきれいに揺れた。

「雄一がね。」ふいにえり子さんが私をまじまじと見て言った。「あなたのこと、昔飼ってたのんちゃんに似てるって前から言ってたけど、本当——に似てるわ。」

「のんちゃんと申しますと？」

「ワンちゃん。」

「はあー。」ワンちゃん。

「その目の感じといい、毛の感じといい……。昨日初めてお見かけした時、ふきだしそうになっちゃったわ。本当にねえ。」

「そうですか？」ないとは思うけど、セントバーナードとかだったらいやだな、と思った。

「のんちゃんが死んじゃった時、雄一はごはんものどを通らなかったのよ。だから、あなたのことも人ごととは思えないのね。男女の愛かどうかは保証できないけど。」

　くすくすお母さんは笑った。

「ありがたく思います。」

　私は言った。

「あなたの、おばあちゃんにもかわいがってもらったんですってね。」

「ええ。おばあちゃんは雄一くんをとても好きでした。」

「あの子ね、かかりっきりで育ててないからいろいろ手落ちがあるのよ。」

「手落ち？」

　私は笑った。

「そう。」お母さんらしいほほえみで彼女は言った。「情緒もめちゃくちゃだし、人間関係にも妙にクールでね、いろいろとちゃんとしてないけど……やさしい子にしたくてね、そこだけは必死に育てたの。あの子は、やさしい子なのよ。」

「ええ、わかります。」

「あなたもやさしい子ね。」

　彼であるところの彼女は、にこにこしていた。よくTVで観るNYのゲイたちの、あの気弱な笑顔に似てはいた。しかし、そう言ってしまうには彼女は強すぎた。あまりにも深い魅力が輝いて、彼女をここまで運んでしまった。それは死んだ妻にも息子にも本人にさえ止めることができなかった、そんな気がする。彼女には、そういうことが持つ、しんとした淋《さび》しさがしみ込んでいた。

　彼女はきゅうりをぽりぽり食べながら言った。

「よくね、こういうこと言って本当は違うこと考えてる人たくさんいるけど、本当に好きなだけここにいてね。あなたがいい子だって信じてるから、あたしは心から嬉《うれ》しいのよ。行く所がないのは、傷ついてる時にはきついことよ。どうか、安心して利用してちょうだい。ね？」

私の瞳《ひとみ》をのぞき込むようにそう念を押した。

「……ちゃんと、部屋代入れます。」私はなんだか胸がつまって、必死で言った。「次住む所を見つけるまで、ここで眠らして下さい。」

「いいのよ、気なんか使わないで。それよりたまに、おかゆ作って。雄一のより、ずっとおいしい。」

と、彼女は笑った。

年寄りと二人で暮らすというのは、ひどく不安なことだ。元気であればあるほどそうだった。実際に祖母といた時、そんなことは考えたこともなく楽しくやっていたけれど、今振り返るとそう思えてならなかった。

私は、いつもいつでも「おばあちゃんが死ぬのが」こわかった。

私が帰宅すると、TVのある和室から祖母が出てきて、おかえりと言う。遅い時はいつもケーキを買って帰った。外泊でもなんでも、言えば怒らない大らかな祖母だった。時にはコーヒーで、時には日本茶で、私たちはTVを観ながらケーキを食べて、寝る前のひと時を過ごした。

小さい頃から変わらない祖母の部屋で、たわいのない世間話とか、芸能界の話とか、その日一日のことをなんとなく話した。雄一のことも、この時間に語られたように思う。どんなに夢中な恋をしていても、どんなに多くお酒を飲んで楽しく酔っぱらっていても私は心の中でいつも、たったひとりの家族を気にかけていた。

部屋のすみに息づき、押してくるそのぞっとするような静けさ、子供と年寄りがどんなに陽気に暮らしていても、埋められない空間があることを、私は誰にも教えられなくてもずいぶん早くに感じとった。

雄一もそうだと思う。

本当に暗く淋しいこの山道の中で、自分も輝くことだけがたったひとつ、やれることだと知ったのは、いくつの時だろうか。愛されて育ったのに、いつも淋しかった。

——いつか必ず、誰もが時の闇《やみ》の中へちりぢりになって消えていってしまう。

そのことを体にしみ込ませた目をして歩いている。私に雄一が反応したのは当然なのかもしれない。

……というわけで、私は居候《いそうろう》生活に突入した。

私は五月が来るまでだらだらすることを、自分に許した。そうしたら、極楽のように毎日が楽になった。

アルバイトにはちゃんと行ったが、後はそうじをしたり、TVを観たり、ケーキを焼いたりして、主婦のような生活をしていた。

少しずつ、心に光や風が入ってくることがとても、嬉しい。

雄一は学校とバイト、えり子さんは夜仕事なので、この家に全員がそろうことはほとんどなかった。

私は初めのうち、そのオープンな生活場所に眠るのに慣れなかったり、少しずつ荷物を片づけようと、もとの部屋と田辺家を行ったり来たりするのに疲れたけれど、すぐなじんだ。

その台所と同じくらいに、田辺家のソファを私は愛した。そこでは眠りが味わえた。草花の呼吸を聞いて、カーテンの向こうの夜景を感じながら、いつもすっと眠れた。

それよりほしいものは、今、思いつかないので私は幸福だった。

いっつも、そうだ。私はいつもギリギリにならないと動けない。今回も本当にギリギリのところでこうしてあたたかいベッドが与えられたことを、私はいるかいないかわからない神に心から感謝していた。

ある日、まだ残っている荷物整理のために私はもとの部屋へ帰った。

ドアを開ける度、ぞっとした。住まなくなってからのここは、まるで別人の顔をするようになった。

しんと暗く、なにも息づいていない。見慣れていたはずのすべてのものが、まるでそっぽを向いているではないですか。私は、ただいまと言うよりはおじゃましますと告げて抜き足で入りたくなる。

祖母が死んで、この家の時間も死んだ。

私はリアルにそう感じた。もう、私にはなにもできない。出ていっちゃうことの他にはなにひとつ——思わず、おじいさんの古時計を口ずさんでしまいながら、私は冷蔵庫をみがいていた。

すると、電話が鳴った。

そんな気がしながら受話器を取ると、宗太郎からであった。

彼は昔の……恋人だった。祖母の病気が悪くなる頃、別れた。

「もしもし？　みかげか？」

泣きたいほどなつかしい声が言った。

「お久しぶりね！」

なのに元気よく私が言った。これはもう照れとか見栄《みえ》を超えた、ひとつの病と思われる。

「いや、学校に来てないから、どうしたのかと思って聞いてまわってさ、そうしたらおばあちゃん亡《な》くなったっていうだろ。びっくりしてさ。……大変だったね。」

「うん、それでちょっと忙しくて。」

「今、出てこれるか？」

「ええ。」

約束をしながら、ふと見上げた窓の外はどんよりしたグレーだった。風で、雲の波がものすごい勢いで押し流されてゆくのが見えた。この世には——きっと、悲しいことなんか、なんにもありはしない。なにひとつないに違いない。


宗太郎は公園が大好きな人だった。

緑のある所が、開けた景色が、野外が、とにかく好きで、大学でも彼は中庭やグラウンドわきのベンチによくいた。彼を探すなら、緑の中を、というのはすでに伝説だった。彼は将来、植物関係の仕事に就きたいそうだ。

どうも私は、植物関係の男性に縁がある。

平和だった頃の私と、平和な明るい彼は、絵に描いたような学生カップルだった。彼のそういう好みで、よく真冬でもなんでも二人は公園で待ち合わせたものだが、あんまり私の遅刻が多いので申しわけなくて、妥協点として見出《みいだ》された地点は公園の真横にある、だだっ広い店だった。

そして今日も、宗太郎はその広い店のいちばん公園よりの席にすわって外を見ていた。ガラス張りのその窓の外は、いちめんの曇り空に風でわさわさ揺れる木々が見えた。ゆきかうウエイトレスの間をぬって彼に近づいてゆくと、彼は気づいて笑った。

向かいの席にすわって、

「雨が降るかな。」

私が言うと、

「いや、晴れてくるんじゃない？」と宗太郎は言った。「なんで二人で久しぶりに会って、天気の話してるんだろうね。」

その笑顔に安心した。本当に気のおけない相手との午後のお茶は、いいものだなあ、と思う。私は彼の寝ぞうがむちゃくちゃに悪いのを知っているし、コーヒーにミルクも砂糖もたくさん入れることや、くせ毛を直したくてドライヤーをかけるばかみたいにまじめな鏡の中の顔も知っている。そして、彼と本当に親しくしていた頃だったら、今頃私は冷蔵庫みがきでずいぶんはげた右手のマニキュアが気になっちゃって話にならないと思う。

「君、今さ。」世間話の途中で、ふいに思い出したように宗太郎が言った。「田辺んとこにいるんだって？」

私はたまげた。

あんまりびっくりして、手に持っていた紅茶のカップを傾けて、お皿にじょろじょろこぼしてしまったくらいだ。

「大学中の話題だよ。すごいなー、耳に入んなかったの？」

困った顔をして笑いながら宗太郎は言った。

「あなたが知ってることすら知らなかったわ。なんなの？」

私は言った。

「田辺の彼女が、前の彼女っていうの？　その人がね、田辺のこと学食でひっぱたいたのさ。」

「え？　私のことで？」

「そうらしいよ。だって君たち今、うまくいってるんでしょう。俺、そう聞いたけど。」

「え？　初耳ですが。」

私は言った。

「だって二人で住んでるんでしょ？」

「お母さんも（厳密には違うけど）住んでるのよ。」

「ええっ！　うそだろーっ」

宗太郎は大声で言った。彼のこの陽気な素直さを私は昔、本気で愛していたが、今はうるさいのですごく恥ずかしいだけだった。

「田辺って。」彼は言った。「変わってるんだってね。」

「よく、わかんない。」私は言った。「あまり会わないし。……話も特別しないし。

私、犬のように拾われただけ。

別に、好かれてるんでもないしね。

それに、彼のことはなにも知らないし。」

そんなものめごともマヌケなまでに全然、気づかなかったし。」

「でも、君の好きとか愛とかも、俺にはよくわかんなかったからなあ。」宗太郎は言った。

「とにかく、よかったと思うよ。いつまで引き取られてるの？」

「わかんない。」

「ちゃんと、考えなさいね。」彼は笑い、

「はい、心がけます。」私は答えた。

帰りは、ずっと公園を抜けていった。木々のすき間から、田辺家のマンションがよく見えた。

「あそこに住んでるのよ。」

私は指差した。

「いいなあ。公園の真横じゃない。俺だったら朝五時に起きて散歩しちゃうな。」

宗太郎は笑った。とても背が高いので、いつも見上げる形になった。この子だったらきっと——私は横顔を見ながら考えた。きっと、ばりばり私を引っぱり回して新しいアパートを決めさせたり、学校へ引っぱり出したりしたんだろう。

それ、その健全さがとても好きで、あこがれで、それにとってもついていけない自分をいやになりそうだったのだ。昔は。

彼は大家族の長男で、彼が家からなんの気なしに持ってくるなにか明るいものが、私をとてもあたためたのだ。

でも私はどうしても——今、私に必要なのはあの田辺家の妙な明るさ、安らぎ——で、そのことを彼に説明できるようには思えなかった。別に、する必要もなかったけれど、彼と会うといつもそうだった。自分が自分であることがもの悲しくなるのだ。

「じゃあね。」

私の瞳《ひとみ》を通して、胸の深いところにある熱い塊が彼に澄んだ質問をする。

まだ今のうちは、私に心が残っているかい？

「しっかり生きろよ。」

彼は笑い、細めた瞳にはまっすぐ答えが宿っている。

「はい、心がけます。」

私は答え、手を振って別れた。そしてこの気持ちはこのまま、どこか果てしなく遠いところへと消えてゆくのだ。

その夜、私がビデオを観《み》ていたら、玄関のドアが開いて、大きい箱を抱えた雄一が外から帰ってきた。

「おかえり。」

「ワープロ買ったんだ！」

と雄一が嬉《うれ》しそうに言った。最近気づいたが、この家の人は買い物が病的に好きなのだ。それも、大きい買い物。主に電化製品ね。

「よかったわね。」

私は言った。

「なにか、打ってほしいものある？」

「そうねー。」

歌詞でも打たせようかな、と私が思っていると、

「そうだ。引っ越しハガキを作ってあげようではないか。」

と雄一が言う。

「なに、それ。」

「だって、この大都会で住所ナシ、電話ナシで生きてゆくつもり？」

「だって、また引っ越す時、また通知するかと思うと面倒で。」

私が言うと、

「ちえっ。」

と彼がつまらなそうにしたので、

「じゃ、お願いします。」

と頼んだ。でもさっきの話が頭に浮かんで、

「ね、でもまずくないの？　迷惑なことないの？」

とたずねると、

「なにが？」

と本当に不思議そうにきょとんとした。もしも私が恋人だったら、きっとひっぱたく。

私は自分の立場を棚に上げて、瞬間、彼に対して反感を持ってしまった。それくらい、
わかっていないようだった。彼という人は。


「私はこの度、下記に引っ越しました。

お手紙、お電話はこちらへお願いします。

東京都××区××3―21―1
〇〇マンション1002号
××××―××××
桜井　みかげ」

雄一がハガキにそう打ってくれたのを、どんどんコピーして（案の定、この家にはコピー機もひそんでいた）あて名書きをした。

雄一も手伝ってくれた。彼は今夜はひまらしい。これも気づいたことだが、彼はひまがとても嫌いなのだ。

透明にしんとした時間が、ペンの音と共に一滴一滴落ちてゆく。

外は春の嵐《あらし》のような、あたたかい風がごうごう吹いていた。夜景も揺れるようだ。私はしみじみした気持ちで友人たちの名を綴《つづ》った。宗太郎は思わずリストからはずして、しまった。風が、強い。木や電線の揺れる音が聞こえてくるようだ。目を閉じて、おりたたみの小さなテーブルにひじをついて、私は聞こえない街並みに思いをはせていた。どうしてこの部屋にこんなテーブルがあるのか、私にはわからない。その思いつきだけで生きているという、テーブルを買った彼女は今夜も店に出ている。

「寝るな。」

雄一が言った。

「寝てない。」私は言った。「引っ越しハガキ書くのは、本当はすごく好きなの。」

「あっ、ぼくも。」雄一が言った。「転居とか、旅行先からのハガキとか、すごく好き。」

「ねえ、でも。」思い切って再び私はチャレンジした。「なんか、このハガキが波紋を呼んで、学食で女の子にひっぱたかれたりしそうじゃない？」

「さっきから、そのこと言ってたのか。」

彼は苦笑した。その堂々とした笑顔が私をどきりとさせた。

「だから、正直に言っていいよ。私、ここに置いてもらってるだけでいいんですから。」

「そんなばかな。」彼は言う。「じゃ、これはハガキごっこかい？」

「ハガキごっこってなに？」

「わかんないけど。」

私たちは笑った。それで、またなんだか話がそれていった。そのあまりの不自然さに、にぶい私もやっとわかった。彼の目をよく見たら、わかってきた。

彼は、ものすごく悲しんでいるのだ。

さっき、宗太郎は言っていた。田辺の彼女は一年間つきあっても田辺のことがさっぱりわかんなくていやになったんだって。田辺は女の子を万年筆とかと同じようにしか気に入ることができないのよって言ってる。

私は雄一に恋していないので、よくわかる。彼にとっての万年筆と彼女にとってと、全然質や重みが違ったのだ。世の中には万年筆を死ぬほど愛している人だっているかもしれない。そこが、とっても悲しい。恋さえしていなければ、わかることなのだ。

「仕方なかったんだよ。」雄一は私の沈黙を気にしたらしく、顔も上げずに言った。「全然君のせいじゃない。」

「……ありがとう。」

なぜか私はお礼を言った。

「どういたしまして。」

と彼は笑った。

私は今、彼に触れた、と思った。一ヵ月近く同じ所に住んでいて、初めて彼に触れた。ことによると、いつか好きになってしまうかもしれない。と私は思った。恋をすると、いつもダッシュで駆け抜けてゆくのが私のやり方だったが、曇った空からかいま見える星のように、今みたいな会話の度に、少しずつ好きになるかもしれない。

でも──私は手を動かしながら考えた。でも、ここを出なくては。

私がここにいることで、彼らが別れたのは明白ではないか。自分がどのくらい強いのか、今すぐひとり暮らしに戻れるのか、見当もつかなかった。それにしても、やはり、近々、本当に近々、引っ越しハガキを書きながら矛盾しているとは思うが……。

出なくては。


その時、ぎいっと音を立ててドアが開いて大きな紙袋を抱えたえり子さんが入ってきたのでびっくりした。

「どうしたの？　店は？」

振り向いた雄一が言った。

「今から行くの！　聞いてよ。ジューサー買っちゃったあ。」

紙袋から大きな箱を出してえり子さんが嬉しそうに言った。またか、と私は思った。

「だから、置きにきたの。先に使ってもいいのよ。」

「電話くれれば、取りに行ったのに。」

雄一がハサミでひもを切りながら言った。

「いいのよ、このくらい。」

てきぱきと開かれた包みからは、なんでもジュースにしてしまいそうな、見事なジューサーが出てきた。

「生ジュース飲んで、お肌をきれいにしようと思ってさ。」

えり子さんは嬉しそうに、楽しそうに言った。

「もう歳《とし》だから無駄だよ。」

雄一が説明書を見ながら言った。

目の前の二人があまりに淡々と普通の親子の会話をするので、私は目まいがした。「奥さまは魔女」みたいだ。不健康きわまりない設定の中で、こんなに明るいんですもの。

「あら、みかげは引っ越しハガキ書いてんの？」えり子さんが手元をのぞき込む。

「ちょうどいいわ。引っ越し祝いあげる。」

そして、くるくる紙に包まれたもうひとつの包みを差し出した。広げてみると、バナナの絵が描いてあるきれいなグラスが出てきた。

「それで、ジュースを飲んでね。」

えり子さんが言った。

「バナナジュースを飲むと、いいかもしれない。」

雄一は真顔で言った。

「わー、嬉しい。」

私は、泣きそうになりながら言った。

出ていく時、これを持ってゆくし、出てからも何度も何度も来て、おかゆを作りますから。

口には出せずに、そう思った。

大切な大切なコップ。

翌日は、もとの家を正式に引き払う日だった。やっと、すべてを片づけた。のろかった。

よく晴れた午後で、風も雲もなく、金色の甘い陽ざしがなにもない私の故郷であった部屋をすかしていた。

のんびりした引っ越しのおわびのため、大家のおじさんを訪ねた。

子供の頃よく入った管理人室で、おじさんの淹《い》れたほうじ茶を飲んで話をした。彼も歳をとったなあ。と私はしみじみ思う。これじゃあおばあちゃんも死ぬはずだわ。よく、祖母がこの小さい椅子《いす》にすわってお茶を飲んでいた時と同じように、今、私がこの椅子にすわってお茶を飲み、天気やこの町の治安の話をしているのは、異様だった。ぴんとこない。

——ついこの間までのことすべてが、なぜかものすごい勢いでダッシュして私の前を走り過ぎてしまった。ぽかんと取り残された私はのろのろと対応するのに精一杯だ。断じて認めたくないので言うが、ダッシュしたのは私ではない。絶対違う。だって私はそのすべてが心から悲しいもの。

すべて片づいた私の部屋に射《さ》す光、そこには前、住み慣れた家の匂《にお》いがした。台所の窓。友人の笑顔、宗太郎の横顔越しに見える大学の庭の鮮やかな緑、夜遅くにかける電話の向こうの祖母の声、寒い朝のふとん、廊下に響く祖母のスリッパの音、カーテンの色……畳……柱時計。

そのすべて。もう、そこにいられなくなったことのすべて。

外へ出るともう夕方だった。淡い黄昏《たそがれ》が降りてくる。風が出てきて、少し肌寒い。薄いコートのすそをはためかせて私はバスを待った。

バス停の、通りをはさんだ反対側にある高いビルの窓が並んで、きれいに青に浮かぶのを見ていた。その中で動いている人々も、上下するエレベーターも、みんなしんと輝いて薄闇《うすやみ》に溶けてゆきそうだった。

最後の荷物が私の両足のわきにある。私は今度こそ身ひとつになりそうな自分を思うと、泣くに泣けない妙にわくわくした気持ちになってしまった。

バスがカーブを曲がってくる。目の前に流れてきてゆっくり止まり、人々は並んでぞろぞろ乗り込む。

バスはとても混んでいた。暮れる空がはるかビルの向こうへ消えてゆくのを、吊《つ》り革につかまった手にもたれかかるようにして見つめていた。

まだ若い月が、そうっと空を渡ってゆこうとしているのが目に止まった時、バスが発車した。

がくん、と止まる度にムッとするのは自分がくたびれている証拠である。何度もムッとしながらもふと外を見ると、遠くの空に飛行船が浮かんでいた。

風を押して、ゆっくりと移動してゆく。

私は嬉《うれ》しくなって、じっと見つめていた。小さなライトを点滅させて、飛行船は、淡い月影のように空をゆくのだった。

と、私の前あたりにすわっている小さな女の子にすぐうしろの席のおばあさんが小声で話しかけた。

「ほら、ゆきちゃん飛行船。見てごらんなさい。きれいだよ。」

顔がそっくりなので孫らしい彼女は、道もバスも混んでいるのでむちゃくちゃに機嫌が悪いらしく、身をよじらせて怒って言った。

「知らない。あれ飛行船じゃないもん。」

「そうだったかねえ。」

おばあさんは全然動じずに、にこにこして答えた。

「まだ着かないのー！　眠い。」

ゆきちゃんはだだをこね続けた。

ガキ。私もまた疲れていたため思わず汚い言葉で思ってしまった。後悔は先に立たねえんだ。おばあちゃんにそんな口をきくなよ。

「よしよし、もうすぐだから。ほら見てごらん、うしろ。お母さん寝ちゃってるよ。ゆきちゃん起こしてくるかい？」

「あー、ほんとだ。」

はるかうしろの席で眠る母親を振り向いて、やっとゆきちゃんが笑う。

いいなあ。

私は思った。おばあさんの言葉があまりにやさしげで、笑ったその子があんまり急にかわいく見えて、私はうらやましかった。私には二度とない……。

私は二度とという言葉の持つ語感のおセンチさやこれからのことを限定する感じがあんまり好きじゃない。でも、その時思いついた「二度と」のものすごい重さや暗さは忘れがたい迫力があった。

と、私は神かけて、そういうことを結構淡々と、ぼんやりと考えていた、つもりだった。バスに揺られながら、空のかなたに去ってゆく小さい飛行船を目でなんとなくまだ追いかけながら。

しかし、気づくとほおに涙が流れてぽろぽろと胸元に落ちているではないですか。たまげた。

自分の機能がこわれたかと思った。ものすごく酔っぱらっている時みたいに、自分に関係ないところで、あれよあれよと涙がこぼれてくるのだ。次に私は恥ずかしさで真っ赤になっていった。それは自分でもわかった。あわてて私はバスを降りた。

行くバスの後ろ姿を見送って、私は思わず薄暗い路地へ駆け込んだ。

そして、自分の荷物にはさまれて、暗がりでかがんで、もうわんわん泣いた。こんなに泣いたのは生まれて初めてだった。とめどない熱い涙をこぼしながら、私は祖母が死んでからあんまりちゃんと泣いてなかったことを思い出した。

なにが悲しいのでもなく、私はいろんなことにただ涙したかった気がした。

ふと気がつくと、頭の上に見える明るい窓から白い蒸気が出ているのが闇に浮かんで見えた。耳をすますと、中からにぎやかな仕事の声と、なべの音や、食器の音が聞こえてきた。

——厨房《ちゅうぼう》だ。

私はどうしようもなく暗く、そして明るい気持ちになってしまって、頭を抱えて少し笑った。そして立ち上がり、スカートをはらい、今日は戻る予定でいた田辺家へと歩き出した。

神様、どうか生きてゆけますように。

眠くて。と雄一に告げて、私は田辺家に戻ってすぐ寝床に入ってしまった。えらく疲れた一日だった。しかし、泣いたことでずいぶん軽くなって、心地良い眠りが訪れた。

うわ、本当にもう寝てる、と台所にお茶を飲みにきた雄一の声を、頭の片すみで聞いたような――気がした。

私は、夢を見た。

今日、引き払ったあの部屋の台所の流しを私はみがいていた。

なにがなつかしいって、床のきみどり色が……住んでいる時は大嫌いだったその色が離れてみたらものすごく愛しかった。

引っ越しの準備を終えて、戸棚の中にもワゴンの上にも、もうなにもないという設定だった。実際、そういうものはとうの昔に始末してしまっていたのだが。

気づくと、うしろで雄一がぞうきんを手に床をふいてくれていた。そのことに、私はとても救われていた。

「少し休んで、お茶にしましょう。」

と私は言った。がらんとしているので声がよく響いた。広く、とても広く感じた。

「うん。」

と雄一が顔を上げた。人の家の、しかも引っ越す所の床を、そんなに汗かいてみがかなくても……と私は思った。とても彼らしい。

「ここが、君んちの台所かー。」

床に敷いたざぶとんにすわって、私の運んだお茶を——もう、湯のみはしまってしまったので、カップに淹れたのを——飲みながら雄一が言った。

「いい台所だったんだろうね。」

「うん、そうなの。」

私は言った。私の場合は、ごはん茶わんで茶道のように両手でお茶を飲んでいた。

ガラスケースの中にいるような静けさだった。見上げた壁には、時計のあとだけがあった。

「今、何時。」

私が言うと、

「夜中でしょ。」

と雄一が言った。

「なんで？」

「外暗いし、静かだから。」

「じゃあ、私は夜逃げね。」

私は言った。

「話の続きだけど。」雄一は言った。「うちももう出るつもりなんだろう？　出るなよ。」

ちっとも話の続きじゃないので、私はびっくりして雄一を見た。

「ぼくだって、えり子さんみたいに思いつきで生きてるって君は思ってるらしいけど、君を君をうちに呼ぶのは、ちゃんと考えて決めたことだから。おばあちゃんはいつも、君の心配をしてたし、君の気持ちがいちばんわかるのは多分、ぼくだろう。でも、君はちゃんと元気に、本当の元気をとり戻せばたとえばぼくらが止めたって、出ていける人だって知ってる。けど君、今は無理だろう。無理っていうことを伝えてやる身寄りがいないから、ぼくがかわりに見てたんだ。うちの母親がかせぐ無駄金はこういう時のためにあるんだ。ジューサーを買うためだけじゃない。」彼は、笑った。

「利用してくれよ。あせるな。」

まるで殺人犯に自首を説得するような誠意を持って、私をまっすぐに見て、彼は淡々とひと言ひと言語った。

私は、うなずいた。

「……よし、床みがきを再開しよう。」

と彼は言った。

私も洗い物を持って立ち上がった。

カップを洗っていると、水音にまぎれて雄一が口ずさむ歌が聴こえた。

♬月明かりの影　こわさぬように
　岬のはずれにボートをとめた
「あっそれ知ってる。なんだっけ。結構好き。誰の歌だっけ。」

私は言った。

「えーと、菊池桃子。すごい耳につくんだよね。」

雄一が笑った。

「そうそう！」

私は流しをみがきながら、雄一は床をみがきながら、声を合わせて歌を続けた。真夜中、しんとした台所に声がよく響いて楽しかった。

「ここが、特に好き。」

と私は二番のアタマのところを歌った。

とおくの――

とうだい――

まわるひかりが――

ふたりのよるには――

こもれびみたい――

はしゃいで、大声でくりかえして二人は歌った。

♬遠くの灯台　まわる光が

二人の夜には　木もれ日みたい……

ふと、私の口がすべって言った。

「おっと、あんまり大声で歌うと、となりで寝てるおばあちゃんが起きちゃう。」

言ってから、しまったと思った。

雄一はもっとそう思ったらしく、後ろ姿で床をみがく手が完全に止まった。そして、振り向いてちょっと困った目をした。

私はとほうにくれて、笑ってごまかした。

えり子さんがやさしく育てたその息子は、こういう時、とっさに王子になる。彼は言った。

「ここが片づいたら、家に帰る途中、公園で屋台のラーメン食べような。」


目が覚めてしまった。

真夜中の田辺家のソファで……早寝なんて、やりつけないことをするものではない。変な夢。……と思いながら、台所へ水を飲みに行った。なんだか心が冷え冷えとしていた。お母さんはまだ帰っていない。二時だ。

まだ夢の感触が生々しい。ステンレスにはねる水音を聞きながら、私は流しをみがいちゃおうかしら、とぼんやり思っていた。

天を、星が動いてゆく音が耳の奥に聞こえてきそうなくらいに、しんとしている孤独な夜中だ。かすかすの心に、コップ一杯の水がしみてゆく。少し寒く、スリッパをはいた素足がふるえた。


「こんばんはー。」

と言って突然、雄一がうしろに来たので驚いた。

「な、なに。」

と私は振り向いた。

「目が覚めちゃって、腹へって、ラーメンでも作ろうかなあ……と思って……。」

夢の中とはうって変わって、現実の雄一は寝ぼけたブスな顔でぐしゃぐしゃそう言った。私は泣きはらしたブスな顔で、

「作ってあげるから、すわってな。私のソファに。」

と言った。

「おお、君のソファに。」

そう言ってふらふらと彼はソファに腰かけた。

闇《やみ》に浮かぶこの小さな部屋の、ライトの下で冷蔵庫を開ける。野菜をきざむ。私の好きな、この台所で——ふと、ラーメンとは妙な偶然だわ、と思った私はふざけて雄一に、背を向けたまま、

「夢の中でもラーメンって言ってたね。」

と言った。

すると、反応が全くない。寝てんのかなと思った私が振り向くと、雄一はすごくびっくりした目できょとんと私を見つめていた。

「ま、まさか。」

私は言った。

雄一はつぶやくように、

「君の、前の家の台所の床って、きみどり色だったかい？」と言った。「あっ、これはなぞなぞじゃないよ。」

私はおかしくて、そして納得して、

「さっきは、みがいてくれてありがとうね。」

と言った。いつも女のほうが、こういうことを受け入れるのが早いからだろう。

「目が覚めた。」と彼は言ったが、遅れをとったのがくやしいらしくて「カップでないものにお茶淹《い》れてほしいもんだ。」と笑った。

「自分で淹れなさーい。」

と言うと、

「あっそうだ。ジューサーでジュース作ろう！　君も飲むかい？」と言った。

「うん。」

雄一は冷蔵庫からグレープフルーツを出して、楽しそうにジューサーを箱から出した。

私は、夜中の台所、すごい音で作られる二人分のジュースの音を聞きながらラーメンをゆでていた。

ものすごいことのようにも思えるし、なんてことないことのようにも思えた。奇跡のようにも思えるし、あたりまえにも思えた。

なんにせよ、言葉にしようとすると消えてしまう淡い感動を私は胸にしまう。先は長い。くりかえしくりかえしやってくる夜や朝の中では、いつかまたこのひと時も、夢になってゆくかもしれないのだから。

「女になるのも大変よね。」

ある夕方、唐突にえり子さんが言った。

読んでいた雑誌から顔を上げて、私は、は？　と言った。美しいお母さんは出勤前のひと時、窓辺の植物に水をやっていた。

「みかげは、みどころありそうだから、ふと言いたくなったのよ。あたしだって、雄一を抱えて育ててるうちに、そのことがわかってきたのよ。つらいこともたくさん、たくさんあったわ。本当にひとり立ちしたい人は、なにかを育てるといいのよね。子供とかさ、鉢植えとかね。そうすると、自分の限界がわかるのよ。そこからがはじまりなのよ。」

歌うような調子で、彼女は彼女の人生哲学を語った。

「いろいろ、苦労があるのね。」

感動して私が言うと、

「まあね、でも人生は本当にいっぺん絶望しないと、そこで本当に捨てらんないのは自分のどこなのかをわかんないと、本当に楽しいことがなにかわかんないうちに大っきくなっちゃうと思うの。あたしは、よかったわ。」

と彼女は言った。肩にかかる髪がさらさら揺れた。いやなことはくさるほどあり、道は目をそむけたいくらい険しい……と思う日のなんと多いことでしょう。愛すら、すべてを救ってはくれない。それでも黄昏《たそがれ》の西日に包まれて、この人は細い手で草木に水をやっている。透明な水の流れに、虹《にじ》の輪ができそうな輝く甘い光の中で。

「わかる気がするわ。」

私は言った。

「みかげの素直な心が、とても好きよ。きっと、あなたを育てたおばあちゃんもすてきな人だったのね。」

とヒズ・マザーは言った。

「自慢の祖母でした。」

私は笑い、

「いいわねえ。」

と彼女が背中で笑った。

ここにだって、いつまでもいられない——雑誌に目を戻して私は思う。ちょっとくらっとするくらいつらいけれど、それは確かなことだ。

いつか別々の所でここをなつかしく思うのだろうか。

それともいつかまた同じ台所に立つこともあるのだろうか。

でも今、この実力派のお母さんと、あのやさしい目をした男の子と、私は同じ所にいる。それがすべてだ。

もっともっと大きくなり、いろんなことがあって、何度も底まで沈み込む。何度も苦しみ何度でもカムバックする。負けはしない。力は抜かない。


夢のキッチン。

私はいくつもいくつもそれをもつだろう。心の中で、あるいは実際に。あるいは旅先で。ひとりで、大ぜいで、二人きりで、私の生きるすべての場所で、きっとたくさんもつだろう。

満月——キッチン2

秋の終わり、えり子さんが死んだ。気の狂った男につけまわされて、殺されたのだ。その男は、初めえり子さんを街で見かけて、興味を持ち、後をつけて彼女の働く店がゲイバーであることを知った。そして美しい彼女が男だというのがショックだったと、長い手紙を書き、店に入りびたるようになった。彼のしつこさに比例してえり子さんも店の人々も冷淡になっていったので、ばかにされたと叫んで、ある夜、男は突然彼女をナイフで刺した。えり子さんは血を流しながらもカウンターに飾ってあった鉄アレイを両手で振り降ろして、犯人をなぐり殺した。

「……こういうのって正当防衛で、チャラになるんだったわよねえ？」

と言ったのが、彼女の最後の言葉だったそうだ。

……私、桜井みかげがそのことを知ったのは、もう冬に入ってからだった。すべてが終わってからずっとたって、やっと雄一が電話をよこしてきたのだ。

「あいつは、ちゃんと戦って死んだんだよ。」

雄一はいきなりそう言った。夜中の一時だった。闇《やみ》に鳴り響いたベルに飛び起きて受話器を取った私は、それではなんのことだかさっぱりわからず、寝ぼけた頭で戦争映画の場面をぼんやり思い浮かべていた。

「雄一？　なに？　なんの話？」

私はくりかえしたずねた。しばらくの沈黙の後、雄一が言った。

「母親……ああ、父親って言うべきかあ。殺されたんだ。」

私にはわからなかった。私には、わからない。黙って息をのむ私に、雄一は本当に話したくなさそうに少しずつ、えり子さんの死を語りはじめた。

ますます信じられるはずもなく、私の瞳《ひとみ》は凍りつき、受話器が瞬間、ぐんと遠ざかった。

「それは……いつ？　今、さっきのことなの？」

私は自分のどこから声が出ているのか、なにをしゃべっているのか、よくわからないままそうたずねていた。

「……いやずいぶん前のことだ、店の人たちで小さな葬式もすませた。……ごめん。どうしても、どうしても君に知らせることができなかったんだ。」

私は胸の肉をえぐり取られたような気分になった。それではもう彼女はいないのだ。今はもう、どこにもいないのだ。

「ごめん、本当にごめん。」

雄一はくりかえした。

電話はなにも伝えない。私には雄一が見えなかった。泣きたいのか、大笑いしたいのか、じっくり話したいのか、ほうっておいてもらいたいのか、さっぱりわからなかった。

「雄一、今から行くわ。行ってもいい？ 私、雄一の顔を見て話がしたいのよ。」

私は言った。

「うん、帰りは送ってやるから安心しておいで。」

雄一はやはり感情が翻訳できないうなずき方で、言った。

「じゃあね。」

私は言い、電話を切った。

——ああ、最後はいつ会ったんだっけ。笑って別れただろうか。頭がぐるぐるまわった。私が大学をきっぱりやめて料理研究家のアシスタントになったのは秋の初めだった。それからすぐに、田辺家を出たのだ。私は祖母が死にひとりになってから半年もの間田辺家で雄一と、彼の、実は男であるお母さんのえり子さんと暮らした。……引っ越しの時、あれが最後だったろうか。えり子さんは少し泣いて、近くなんだから週末には顔出してね、と言った。……違う。先月末に会った。そうだ、夜中のコンビニエンス、あの時だ。

私が夜中眠れなくてプリンを買いにファミリーマートへ走っていったら、入口の所でちょうど仕事明けのえり子さんと、お店で働く実は男の、女の子たちが紙コップのコーヒーを飲んでおでんを食べていた。私がえり子さん！と声をかけると、私の手を取って、あらー、みかげうちを出たらすっかりやせたわね、と笑った。青いワンピースを着ていた。

私がプリンを買って出てくると、えり子さんはコップを片手で持ち、きつい瞳で闇に光る街を見ていた。私はふざけて、えり子さん顔が男してるよ、と言った。えり子さんはぱっと笑顔になって、いやあねえ、うちの娘はへらず口ばっかりで。思春期がはじまったのかしらね、と言った。私、成人してるんですけど、と私は言い、お店の女の子たちが笑った。そして……うちに遊びに来るのよ、と、ああよかった、笑顔で別れた。あれが最後だ。

旅行用の小さな歯ブラシセットと、フェイスタオルを探し出すのに何分を要しただろう。私は支離滅裂だった。引き出しを開けたり閉めたり、トイレのドアを開けてみたり、花びんを倒して床をふいたりをくりかえして部屋中をうろうろ歩きまわり、結局なにも手に持っていないのに気づいた時には、さすがに少し笑って、落ち着かなくちゃ、と目を閉じた。

歯ブラシとタオルをバッグに入れて、ガスと留守番電話を何度も確かめて、ふらふらとアパートを出た。

気づくと場面はすぐに、冬の夜道を田辺家に向かって歩く私、になっていた。カギをちゃりちゃりいわせながら星空の下を歩いていたら、涙が後から後からあふれはじめた。道も足元も、静まり返った街並みも熱くゆがんで見えた。すぐに息がうっとつまってしまい、苦しかった。それで必死に冷たい風を吸い込んでみても、細くしか胸に入ってこないように感じた。瞳の奥にひそむとがったものが風にさらされて、どんどん冷えてゆく気がした。

いつも普通に目に入ってくる電柱や街灯や止めてある車が、黒い空が、うまく見えなかった。すべてが熱気の向こうにあるようにシュールに美しくゆがんで光り、目の前にぐんとせまってくる。私は自分のエネルギーがものすごい勢いで全身から出ていってしまうのを止められない、と感じた。しゅうしゅう音を立てて、闇に消えてゆく。

両親が死んだ時はまだ子供だった。祖父が死んだ時は、恋をしていた。そして祖母が死んでたったひとりになってしまった時、その時よりも今、ずっと孤独を感じる。

足を進めることを、生きてゆくことを心底投げ出したかった。きっと明日が来て、あさってが来て、そのうち来週がやってきてしまうに違いない。それをこれほど面倒だと思ったことはない。きっとその時も自分が悲しい暗い気分の中を生きているだろう、そのことが心からいやだった。胸の内が嵐《あらし》なのに、淡々と夜道を歩く自分の映像がうっとうしかった。

早く区切りがほしくて、そうだ雄一に会えばとりあえず、と思う。雄一にくわしく話を聞けば。でも、それがどうしたというのだろう。なにになるのだ。闇の中で冷たい雨がやむ程度のことだ。希望なんかではない。もっと巨大な絶望に流れ込む、小さな暗い流れだ。

さんざんな気持ちで田辺家のドアチャイムを押した。いつの間にか十階までエレベーターに乗らずに歩いて階段で上っていたので、はあはあ息をついていた。

雄一がなつかしいテンポでドアに向かって歩いてくるのが聞こえた。この部屋に居候《いそうろう》していた頃はよくカギを忘れて出てしまい、夜中に何度もチャイムを鳴らしたものだ。いつも雄一が起きてきて、チェーンをはずす音が響いた。

ドアが開き、少しやせた雄一が顔を出して、

「やあ。」

と言った。

私は「お久しぶり。」と言いながら、どうしても笑顔を抑え切れなかったことが、自

分でも嬉《うれ》しかった。私の心の奥底が雄一に会えたことを素直に喜んでいる。

「上がっていいんでしょう?」

きょとんとしたままの雄一にそう言うと、はっとした彼は力なくほほえみ、言った。

「うん、もちろんだ。……いや、きっと、ものすごく怒ってるだろうなと覚悟していたからちょっとびっくりしたんだ。ごめんね。上がってくれよ。」

「私は。」私は言った。「こういうことでは怒らない。知ってるくせに。」

雄一は少し無理をしていつものような笑顔を見せて、うんと言った。私はほほえみを返して、靴を脱いだ。

少し前まで暮らしていた部屋は、初め妙に落ち着かなくても、すぐその匂《にお》いになじんできて、独特のなつかしさがこみ上げてくる。ソファに沈み込んで、しみじみそう思っていたら雄一がコーヒーを運んできた。

「私、久しぶりにここに上がった気がする。」

私が言うと、

「そうだね。君、ちょうど忙しかったからな。仕事はどう? 面白い?」

と雄一がおだやかに言った。

「うん。今はなんでもね。いもの皮むきすら楽しいわ。そういう時期なの。」

ほほえんで私は答えた。すると、雄一はカップを置いてふいに切り出した。

「今夜、初めて頭が正常に働いたんだ。知らせないわけにいかない、今すぐだって。それで電話をした。」

私は聞く姿勢になって身をのりだし、雄一を見つめた。雄一は話しはじめた。

「葬式までの間は、なにがなんだかわからなかったんだ。頭は真っ白で、目の前が真っ暗で。あの人は、ぼくにとってたったひとりの同居人で、母で、父だったろう。もの心ついた時からずっとそうだったから、思ったよりもずっと混乱して、やることだけはいっぱいあって、毎日わけがわからないままころがるように過ぎちゃったんだ。ほら、あの人らしく普通の死に方じゃなかったから、なにせ刑事事件だからね、犯人の妻だの子だの出てきたり、お店の女の子たちも狂乱状態になって、ぼくが長男らしくしてないとおさまりがつかなかった。みかげのことは、ずっと頭にあったんだ。これは本当だよ。いつも、あった。でもどうしても電話できなかった。みかげに知らせたとたんに、全部が本当になってしまいそうでこわかったんだ。つまり、父親である母親があんな死に方をして、自分がひとりきりになったことがね。それにしても、あの人はみかげにとってもとても親しい人だったのに、知らせないなんて今思うとムチャクチャだよな。きっとぼくは狂ってたんだろう。」

手元のカップを見つめて、雄一はつぶやくように語った。打ちのめされた彼を見つめて「どうも私たちのまわりは。」私の口をついて出たのはそんな言葉だった。「いつも死でいっぱいね。私の両親、おじいちゃん、おばあちゃん……雄一を産んだお母さん、その上、えり子さんなんて、すごいね。宇宙広しといえどもこんな二人はいないわね。私たちが仲がいいのは偶然としたらすごいわね。……死ぬわ、死ぬわ。」

「うん。」雄一が笑った。「ぼくたち二人で、死んでほしい人の近くに暮らしてあげると商売になるかもな。消極的な仕事人って。」

光が散るような淋《さび》しくて明るい笑顔だった。夜中が、深まってゆく。窓の外に美しい夜景がちらちらちらとまたたくのを、振り向いて見つめた。高くから見降ろす街は光の粒にふちどられ、車の列は光の河になって夜を流れてゆく。

「ついにみなしごになってしまったよ。」

雄一が言った。

「私なんて、二度目よ。自慢じゃないけど。」

私が笑ってそう言うと、ふいに雄一の瞳から涙がぽろぽろこぼれた。

「君の冗談が聞きたかったんだ。」腕で目をこすりながら雄一が言った。「本当に、聞きたくて仕方なかった。」

私は両手を伸ばし、雄一の頭をしっかり抱いて「お電話ありがとう。」と言った。

えり子さんの形見に、彼女がよく着ていた赤いセーターをもらうことにした。

くやしいくやしい、高かったのにみかげのほうによく似合うわ、とある夜私に着せてみてえり子さんが言った思い出があったからだ。

それから、化粧台の引き出しにごそっと入っていたという彼女の〝遺言状〟を私に手渡して、雄一はおやすみを言い自分の部屋へ去っていった。私は、ひとりそれを読んだ。

雄一殿

自分の子に手紙書くなんてすごく妙な気分よ。でも最近、ちょっと身の危険を感じることがあるので、もしも、万が一のために書いてみます。ま、冗談だけどさ。そのうち二人で笑って読みましょう。

でもね、あんた、考えてもみて。私が死んだら、あんたひとりぼっちよ。みかげと一緒じゃない。あの子のこと、もう笑えないわよ。私たち親戚《しんせき》いないのよ。あんたのお母さんと結婚した時に縁切られて、私が女になった時にはもう、人づてに聞いたところでは呪《のろ》ってたそうだから、間違ってもおじいちゃんおばあちゃんに連絡とろうなんて思わないように。わかった？

ねえ雄一、世の中にはいろんな人がいるわね。私には理解しがたい、暗い泥の中で生きている人がいる。人の嫌悪《けんお》するようなことをわざとして、人の気を引こうとする人、それが高じて自分を追いつめてしまうような、私にはそんな気持ちがわからない。いかに力強く苦しんでいても同情の余地はないわ。だって私、体を張って明るく生きてきたんだもん。私は美しいわ。私、輝いている。人を惹《ひ》きつけてしまうのは、もし、それが私にとって本意でない人物でも、その税金のようなものだとあきらめているの。だから、私がもし殺されてもそれは事故よ。変な想像しないで。あなたの前にいた、私を信じて。

　私ね、この手紙だけはきちんと男言葉で書こうと思ってかなり努力したんだけど、おっかしいの。恥ずかしくてどうしても筆が進まないの。私、こんなに長く女でいても、まだどこかに男の自分が、本当の自分がある、これは役割よって思ってたのに。でも、もう心身共に女、名実共に母ね。笑っちゃう。

　私、私の人生を愛している。男だったことも、あなたのお母さんと結婚したのも、彼女が死んでから、女になって生きたことも、あなたを育てて大きくしたこと、一緒に楽しく暮らしたこと……ああ、みかげを引き取ったこと！　あれは最高に楽しかったわね。なんだかみかげにとても会いたい。あの子も大切な私の子よ。

　ああ、とってもおセンチな気分よ。

　みかげに、どうぞよろしく。男の子の前で足の毛を脱色するのはよしなさいって言っといて。みっともないからね。あんたもそう思うでしょう？

　同封したものは、私の財産のすべてよ。どうせ書類のことなんてわけわかんないでしょう。弁護士に連絡とってね。まあどっちにしろ店以外はみんなあんたのもの。ひとりっ子っていいわねえ。

えり子

私は読み終えて、手紙をもとのようにそっとたたんだ。えり子さんの香水の匂いがかすかにして、胸がきりきりした。この香りも、やがて、いくらこの手紙を開いてもしなくなってしまう。そういうことが、いちばんつらいことだと思う。

この部屋にいた頃、私がベッドにしていたなつかしさで苦しいソファに横たわる。同じように夜は、同じこの部屋に訪れて、窓辺の植物のシルエットは夜の街を見降ろしている。

それでも、もう、いくら待っても彼女は帰ってこない。

夜明け近く、鼻歌とヒールの音が近づいてきて、カギを開ける。お店から仕事明けで帰る彼女はいつもほろ酔いで、うるさい音を立てるので私はうっすら目を覚ました。シャワーの音、スリッパの音、お湯をわかす音、私はとても安心してまた眠りに落ちてゆく。いつもそうだった。なつかしい。気が変になるほどなつかしい。

私の泣き声は、向こうの部屋で眠る雄一に聞こえてしまっただろうか。それとも彼は今重く苦しい夢の中にいるのだろうか。

この小さな物語は、この悲しい夜に幕を開ける。

翌日、二人がなんとなく起き出したのは、午後遅くなってからだった。私は仕事が休みだったのでパンをかじりながらだらだら新聞を読んでいたら、雄一が部屋から出てきた。顔を洗ってから私の横にすわり、牛乳を飲みながら「これから、ちょっと学校に行ってみるかなあ……。」と言った。

「これだから学生さんはねえ、気楽よねえ。」

と言って私は自分のパンを半分分けてやった。どうも、と雄一は受けとって、もぐもぐ食べた。二人でTVに向かってそうしていたら、本物のみなしごのようで変な気分になった。

「みかげは？　今晩家に戻るかい？」

雄一は立ち上がり、言った。

「うーん。」私は考えた。「晩ごはん食べてから帰ろうかなあ。」

「おお、プロの作る晩めし！」

雄一が言った。そしてそれはとても明るい思いつきに思えたので私は本気になった。

「よし、ぱっとやりましょう。命の続くかぎり作ってみせましょう。」

私は豪華メニューを熱心に考え、その材料をすべてメモに書いて彼に押しつけた。

「車で行きなさいね。そして、これらのものをすべて買ってきて。みんな雄一の好きなものばっかりだから、死ぬまで食べることを楽しみに早く帰ってきてね。」

「うひゃー。お嫁さんみたい。」

とぶつぶつ文句を言って、雄一は出ていった。

扉の閉まる音と共に、やっとひとりになったらぐったりと疲れているのに気づいた。部屋は、秒を刻む時間を感じさせないほどにしんとして、私だけが生きて活動していることを申しわけなく思うような静止した雰囲気をかもしだしていた。

人が死んだ後の部屋はいつもこうだ。

私は、ぼんやりとソファに埋もれて、広い窓の外、冬の初めのグレーが街を覆《おお》っているのを見つめていた。

この小さな街のすべての部分に、公園に、路《みち》に、霧のようにしみとおる冬の重い冷気を支え切れない。押されて息ができない。そう思った。

偉大な人物はいるだけで光を放ち、まわりの人の心を照らす。そして、消えた時にどうしようもなく重い影を落とす。ささやかな偉大さだったかもしれないけれど、えり子さんはここにいて、そしていなくなった。

ごろんと寝ころがると、白い天井が私を救った思い出がけだるく押し寄せてくる。祖母を亡《な》くした直後、よく雄一もえり子さんもいない午後にはひとりでこうして天井を見た。そう、祖母が死んで、血のつながった最後の人物を失った時私は、ろくでもないと思った。そして、これ以上ろくでもないことはないだろうと確信していたのに、上には上があるものだ。えり子さんは、私にとって、巨大な存在だった。……運がいいとか、悪いとかは確かにあっても、それに身をゆだねるのは甘えだ。そう思ってつらさが減るわけでもなんでもない。それに気づいてからは、ろくでもないことと、普通の生活を同時進行できるくらいには私はいやらしく大人になったが、確かに生きやすくなった。だからこそ、こんなにも今、心がずっしり重い。

うっすらとオレンジに染まるほの暗い雲が西の空に広がりはじめる。もうすぐ、ゆっくり冷たい夜が降りてくる。心の空洞にしみ込んでくる。――眠くなってきたが、

「今、眠ると悪い夢見るわ。」

と口に出して、私は起き上がった。

そして、とりあえず久々の田辺家台所に立ってみた。瞬間、えり子さんの笑顔が浮かんで胸がきりきりとしたが、体を動かしたかった。どうもこの台所は、ここのところ使われていないのかもしれない、と思える。薄汚れて、暗かった。私はそうじをはじめた。みがき粉でシンクをごしごしこすり、ガス台をふき、レンジの皿を洗って、包丁をとぐ。ふきんを全部洗ってさらし、乾燥機にかけてごうんごうんと回っているのを見ているうちに、心が実にしっかりしてきたのがわかった。どうして私はこんなにも台所関係を愛しているのだろう、不思議だ。魂の記憶に刻まれた遠いあこがれのように愛しい。ここ

に立つとすべてが振り出しに戻り、なにかが戻ってくる。

この夏は集中して独学で料理を学んだ。

あの感じ、頭の中で細胞がふえるような感じはちょっと忘れがたい。基礎と、理論と、応用をふまえた三冊の本を買ってきて、片っぱしから作った。バスの中や、ソファのベッドの中では理論編を読んで、カロリーや温度や素材のことを暗記した。そして、後はひまさえあれば台所で料理を作っていた。すっかりぼろぼろになったその三冊は今も大切に手元にある。小さい頃愛していた絵本のように、グラビアの色彩ごとページが頭に浮かんでくる。

雄一とえり子さんが、みかげ完全に狂ってるね、うん、と何度も言った。私は実際に狂人のような勢いで夏中、作って、作って、作った。バイト代のすべてをつぎ込んで、失敗したら、うまくいくまでくりかえした。かんしゃくを起こしたり、いらだったり、逆にあたたかい気持ちになったりしながら作った。

今思えば、そのせいで三人がよく一緒に食事をした、いい夏だった。

網戸越しの夕風、薄青く広がる暑い空の名残りを窓の外に見ながら、ゆで豚や冷し中華やすいかサラダを食べた。なにを作っても大げさに喜ぶ彼女と、黙って大食いする彼のために、私は作った。

具のたくさん入ったオムレツや、美しい形の煮物、天ぷら、そういったものを作れるようになるまではかなりかかった。私のネックは性格のがさつさにあって、ちゃんとした料理にそのことがあれほどマイナスになるとは考えてもみなかったことだった。温度が上がり切るのをちょっと待てなかったりとか、水気が全部切れるより前に作ってしまったり、そんなささいな、と思うことが結果の色や形にきちんと反映して、びっくりした。それでは主婦の夕食にはなれてても決してグラビアに写る料理になってはくれない。

仕方なく私はなにもかもをていねいにやるよう心がけた。ボールをきちんとふき、調味料のふたをそのつど閉め、落ち着いて手順を考え、イライラして気が狂いそうな時は手を休めて深く呼吸をした。初めはあせりで絶望したけれど、ふいにすべてが直りはじめた時は、まるで自分の性格まで直っちゃったみたいよ！　と思った。うそでしたけどね。

今、私が働いている料理の先生のアシスタントになれたことは、実は大変なことらしかった。先生は教室だけでなく、TVや雑誌の目立った仕事をたくさん持っている有名な女性なので、私がテストを受け、通った時の応募人数はものすごかったそうなのだ。後から聞いた。……私は、駆け出しの自分が、ひと夏の勉強でそんな場所に入れたことをひどく幸運と思い、ほのかに喜んでいたけれど、スクールにお料理を習いにくる女の人たちを見ていたら納得がいった。私とは根本的に心がまえのようなものが異なっているようなのだ。

彼女たちは幸せを生きている。どんなに学んでもその幸せの域を出ないように教育されている。たぶん、あたたかな両親に。そして本当に楽しいことを、知りはしない。どちらがいいのかなんて、人は選べない。その人はその人を生きるようにできている。幸福とは、自分が実はひとりだということを、なるべく感じなくていい人生だ。私も、そういうのいいな、と思う。エプロンをして花のように笑い、料理を習い、精一杯悩んだり迷ったりしながら恋をして嫁いでゆく。そういうの、すてきだな、と思う。美しくてやさしい。ことにひどく疲れていたり、ふきでものができたり、淋《さび》しい夜に電話をかけまくっても友人がみんな出払っていたりする時、生まれも育ちもなにもかも、私は自分の人生を嫌悪する。すべてを後悔してしまう。

でもあの至福の夏の、あの台所で。

私はヤケドも切り傷も少しもこわくなかったし、徹夜もつらくなかった。毎日、明日が来てまたチャレンジできるのが楽しみでぞくぞくした。手順を暗記するほど作ったキャロットケーキには私の魂のかけらが入ってしまったし、スーパーで見つけた真っ赤なトマトを私は命がけで好きだった。

私はそうして楽しいことを知ってしまい、もう戻れない。

どうしても、自分がいつか死ぬということを感じ続けていたい。でないと生きている気がしない。だから、こんな人生になった。

闇《やみ》の中、切り立った崖《がけ》っぷちをじりじり歩き、国道に出てほっと息をつく。もうたくさんだと思いながら見上げる月明かりの、心にしみ入るような美しさを、私は知っている。


そうじと下準備を終えると、夜になった。

ドアチャイムの音と同時に雄一が大きなビニール袋を抱えて苦しそうにドアを押しながら顔を出した。私が玄関まで歩いていくと、

「信じらんないよな。」

と雄一が言った。袋をどさりと置く。

「なにが？」

私は言った。

「君の言ったものを全部買ったらさあ、ここまでひとりで持ってこられないの。多すぎて。」

そう、とうなずいて初めは知らんぷりしていたら雄一が本気でムッとしはじめたので仕方なく一緒に駐車場まで降りていくことにした。

車の中には巨大なスーパーの袋がまだ二つあって、駐車場から入口まで運ぶのにも骨

が折れた。

「まあ、ぼくも自分のいろんなもの買ったけどさあ。」

より重いほうの袋を抱えた雄一が言った。

「いろんなもの？」

と言ってのぞき込んだ私の抱える袋の中に、シャンプーやノートの他に、たくさんのレトルト製品が見えた。なるほど、彼のこのところの食生活が読めた。

「……じゃあ、あなたが何度も往復すればいいのよ。」

「だって、君が来ればいっぺんですむんだからさ。ほーら、月がきれいだよ。」

雄一は冬空の月をあごで指した。

「全くほんとにねえ。」

と私は皮肉で言ったが玄関に入る時、名残りの月をちらりと振り返った。すごい明るさを放って光り、ほぼ満ちていた。

昇ってゆくエレベーターの箱の中で雄一が言った。

「やっぱり、関係あるんでしょ。」

「なにが？」

「すごく月がきれいなのを見た、とかって料理の出来に響くんでしょ。月見うどん作るとかそういう間接的なことじゃなくてさ。」

チン、とエレベーターが止まり、私の心が瞬間、真空になった。歩きながら私は言った。

「もっと、本質的に？」

「そうそう。人間的にね。」

「あるの。絶対にあるわ。」

私はすぐさま言った。もしこれが「クイズ100人に聞きました」の会場だったら、あるあるの声が怒号のように響き渡っただろう。

「やっぱり、そうか。いや、みかげは芸術家になるとばっかり思っていたから、きっと君にとってはそれが料理なんだなと勝手に納得してたんだ。そうかあ。みかげは本当に台所仕事を好きなんだなあ。やっぱり。よかったなあ。」

雄一はひとりで何度もうなずいて、納得していた。おしまいのほうは、ほとんどひとり言のような声だった。私は、

「子供みたいね。」

と笑った。さっきの真空がふいに言葉になって頭をよぎる。

〝雄一がいたらなにもいらない〟

それは瞬間のことだったけれど、私はひどく困惑した。あまり強く光って目がくらみそうになったからだ。心に満ちてしまう。

二時間かけて、私は夕食を作った。

雄一は、その間TVを観《み》たり、じゃがいもの皮をむいたりしていた。彼は手先が器用なのだ。

私にとって、えり子さんの死はまだ遠くにあった。まともに受けとめることができない。ショックの嵐《あらし》の向こうから、少しずつ近づいてくる暗い事実だった。そして雄一は、どしゃぶりの雨にさらされた柳のように打ちしおれていた。

だから、二人でいてもわざとえり子さんの死を語らず、時間や空間のなにがなんだかわからない度が増したけれど、今は二人でいるしかなかった。他も先のこともなく安心した空間をあたたかく感じた。そして、うまく言えないけれど、このつけは必ずまわってくる気がした。それは巨大でこわい予感だった。その巨大さがかえってこの孤独な闇の中で二人のみなしごを高揚させていた。

夜が透明に更《ふ》けた頃、私たちはできあがった大量の夕食を食べはじめた。サラダ、パイ、シチュー、コロッケ。揚げ出しどうふ、おひたし、春雨と鶏《とり》のあえもの、キエフ、酢豚、しゅうまい……国籍がめちゃくちゃだったが、気にならないくらいたくさん時間をかけて、ワインを飲みながら全部食べつくした。

雄一が珍しく酔っぱらっている様子なので、これっぽっちのお酒で変ね、とふと床を見ると空のワインが一本ころがっていてぎょっとした。料理ができるまでに空けてしまったらしい。酔うはずだ、とあきれてたずねた。

「雄一、これ丸々さっき飲んじゃったの?」

彼はソファに仰向けになったまま、セロリをぽりぽり食べながら、うん、と言った。

「全然、顔に出ないのね。」

私が言うと、雄一は急にものすごく悲しそうな表情になった。酔っぱらいの扱いはむつかしい、と思った私が、

「どうしたの?」

と言うと、雄一は真顔で、

「みんなにそう言われ続けたこの一カ月、その言葉は胸にしみるんだ。」

と言った。

「みんなって、大学の人たち?」

「うん。」

「一カ月飲みっぱなしだったの?」

「うん。」

「それじゃあ、私に電話する気も起きないはずよね。」

私は笑った。

「電話が、光って見えてた。」彼も笑って言った。「夜道を、酔って帰ってくると電話ボックスって明るく光ってるだろ。真っ暗な道で遠くから見ても、よく見えるだろ。ああ、あそこにたどり着いて、みかげに電話しなきゃ、×××—××××だって、テレホンカードを探して、ボックスの中まで入るんだよね。でも今、自分がどこにいて、これからなにを話すのかを考えると、とたんにいやになって電話するのをやめる。帰ってばたんと寝るとみかげが電話で泣いて怒る夢を見るんだ。」

「泣いて怒るのは想像上の私だったでしょ。案ずるより産むがやすし。」

「うん、突然、幸福になった。」

雄一は自分でもなにをしゃべっているのか多分よくわかっていないのだろう、とても眠い声でぽつり、ぽつりと話を続けた。

「みかげが、母親がいなくなってもこの部屋に来て、目の前にいる。もし怒って縁を切られたなら、これはもう仕方ないことだと覚悟していた。あの頃、三人でここに住んでいた頃があまりにもつらすぎて、もう会えなくなる気がした。……客用のソファに人が泊まるのは昔っから好きだったんだ。シーツとかぱりっと白くて、自分の家なのに旅行に行ってるようでね。……ここのところ、自分でもあんまりまともに食ってないんで、食事作ろうかなと何度か思った。でも食べ物も光を出すだろう。それで食べると消えちゃうだろう？　そういうのが面倒で、酒ばかり飲んでた。きちんと説明さえすれば、みかげは帰らずにここにいてくれるかもしれない。とりあえず話を聞いてくれることもありうる。そんな幸福を考えて期待するのがこわかった。すごくな。期待しておいて、もしみかげが怒り狂ったら、それこそ真夜中の底にひとりで突き落とされる。こんな感情を、わかってもらうように説明する自信も、根気もなかった。」

「あんたって本当にそういう子ね。」

私の口調は怒っていたが、目があわれんでしまった。年月が二人の間に横たわり、テレパシーのようにすぐ、深い理解が訪れてしまう。私のその複雑な気持ちは、この大トラ野郎にも通じたらしい。雄一は言った。

「今日が終わらないといいのにな。夜がずっと続けばいいんだ。みかげ、ずっとここに住みなよ。」

「住んでもいいけど。」どうせ酔っぱらいのたわ言だなあと思った私はつとめてやさしく言った。「もう、えり子さんいないのよ。二人で住むのは、女として？　友達としてかしら？」

「ソファを売って、ダブルベッドを買おうか。」雄一は笑い、それからかなり正直に言った。「自分でも、わからない。」

その妙な誠実さは、かえって私の胸を打った。雄一は続けた。

「今はなにも考えられない。みかげがぼくの人生にとってなんなのか。ぼく自身これからどう変わっていくのか。今までと、なにがどう違うのか。そういうことのすべてがさっぱりわからない。考えてみてもいいが、この精神状態じゃあろくな考えになりっこないから、決められない。早くここを抜けなくては。早く抜けたい。今は、君を巻き込めない。二人で死の真ん中にいても、君は楽しくなれない。……もしかするとこの二人でいるかぎり、いつまでもそうなのかもしれない。」

「雄一、そんなにいっぺんに考えないでいいわ。なるようになるわ。」

私は、ちょっと泣きそうになりながら言った。

「うん、きっと明日目覚めたら忘れてる。最近、いつもそうだった。次の日に続くものがないんだ。」

ソファにごろんとうつぶせになって雄一はそう言った後で、困ったなあ……とつぶやいた。部屋中が夜の中でしんと静まって、雄一の声を聞いているようだった。この部屋もまたえり子さんの不在にとまどっているように感じ続けていた。夜は更けて、重くのしかかる。わかち合えるものはなにもない気分にさせる。

……私と雄一は、時折漆黒の闇の中で細いはしごの高みに登りつめて、一緒に地獄のカマをのぞき込むことがある。目まいがするほどの熱気を顔に受けて、真っ赤に泡立つ火の海が煮えたぎっているのを見つめる。となりにいるのは確かに、この世の誰よりも近い、かけがえのない友達なのに、二人は手をつながない。どんなに心細くても自分の足で立とうとする性質を持つ。でも私は、彼のこうこうと火に照らされた不安な横顔を見て、もしかしたらこれこそが本当のことかもしれない、といつも思う。日常的な意味では二人は男と女ではなかったが、太古の昔からの意味合いでは、本物の男女だった。しかし、どちらにしてもその場所はひどすぎる。人と人が平和をつむぐ場所ではない。

――霊感占いじゃないんだから。

私はそこまでまじめに空想していたのにふいにそう思いついて笑ってしまった。地獄のカマを見つめて心中をはかっている男女が見えますね。よって、二人の恋も地獄行き。って、昔あったな、と思うと笑いが止まらなかった。

雄一は、ソファでそのままぐっすり眠ってしまった。私より先に眠れたことが幸せそうな寝顔だった。ふとんをかけてやってもびくともしない。私は大量の洗い物をなるべく水音を立てないように洗いながら涙がたくさん出た。

もちろん、ひとりでこんなに洗うのがつらいからではなくて、じんとしびれるような淋《さび》しいこの夜の中に、ひとり置き去りにされたからだ。

翌日は仕事が昼出勤だったので、しっかり目覚ましをかけておいたのがジリジリうるさいなあ……と手を伸ばしたらそれは電話だった。私は受話器をつかんでいた。

「もし、もし。」

と言ったのと、あ、ここは人のうちだったと思い出したのはだいたい同時くらいだったので、私はあわてて「田辺です。」をつけ加えた。

するとガチャン！ と電話が切れてしまったのだ。あ、女の子かなあ……と眠い頭で申しわけなく思い雄一を見たら、まだグーグー寝ている。まあいいか、と思い仕度してそっと部屋を出て、仕事に向かった。今夜もここに帰るかどうかは、昼中かけてゆっくり悩もうと思った。

職場にたどり着く。

大きなビルのワンフロアー全部が、その先生のオフィスで、スクール用の調理室と、写真のスタジオがある。先生は事務所で記事のチェックをしていた。まだ若くて、料理がうまく、すばらしいセンスを持っている、人あたりの良い女性だった。今日も私を見るとにっこりほほえんでメガネをはずし、仕事の指示をはじめる。

午後三時からのクッキングスクールの準備が大変そうだから、私は今日はその手伝いが終わるまでいればいいということだった。メインのアシスタントは他の人がついているそうだ。では、夕方より前に仕事が終わってしまう……少しとまどった私の頭に、タイムリーな指令が続いた。

「桜井さん、あさってから伊豆地方の取材があるのよ。三泊なんだけれどね、急で悪いんだけれど、同行してもらえないかしら。」

「伊豆？　雑誌のお仕事ですか？」

　私はびっくりして言った。

「ええ……他の女の子たちが都合が悪くてね。いろいろな宿の有名な味を紹介する、作り方も少し解説して、っていう企画なんだけれど、どうかしら。すてきな宿やホテルに泊まるのよ。ひとり部屋を手配するようにするけど……なるべく早くお返事がほしいんだけれど、そうねえ、今日の夜……。」

　と先生が言い終えるより前に私は答えた。

「行きます。」これこそがふたつ返事という奴《やつ》だ。

「助かるわ。」

　と先生は笑って言った。

　調理室のほうへ歩きながら、私は突然心が軽くなったことに気づいた。今、東京を離れ、雄一を離れて、少しだけの期間遠くへ行くのは、いいことのように思えた。

　ドアを開けると、中ではアシスタント仲間の一年先輩である典ちゃんと栗ちゃんがすでに準備にかかっていた。

「みかげちゃん、伊豆の話聞いた？」

　と私を見るなり栗ちゃんが言った。

「いいなあー、フランス料理もあるんですって。海の幸もたくさんあるしね。」

と典ちゃんがほほえんだ。

「ところで、どうして私が行けることになったの？」

私がたずねると、

「ごめんね。私たち二人ともゴルフのレッスンを予約しちゃって、行けないのよ。あ、でももしみかげちゃんの都合が悪いようなら、私たちどっちかがお休みするー。ね、栗ちゃん、それでいいよね。」

「うん、だからみかげちゃん正直に言って。」

二人が心からやさしい気持ちでそう言ってくれたので、私は笑って首を振り、

「ううん、私、全然平気。」

と言った。

この二人は同じ大学から一緒にここに紹介で入ってきたそうだ。もちろん、料理の勉強を四年間してきている、プロだ。

栗ちゃんは陽気でかわいらしく、典ちゃんは美人のお嬢様、という感じの人だった。二人はとても仲が良い。いつも目を見張るような上品なセンスの服を身にまとい、気持ちよくきちんとしている。ひかえめで、親切で、がまんがきく。料理界には少なくない良家の娘さんタイプの中でも、この人たちの輝きは本物だった。

時折、典ちゃんの家のお母さんから電話があるが、恐縮するほどやさしく柔らかい。

典ちゃんの一日の予定を普通にすべて把握しているのにもびっくりした。それが、世のお母さんというものなのだろうか。

典ちゃんは、ふわふわの長い髪を押さえながら少し笑って、鈴のような声で母親と電話をする。

私は、自分とこんなにかけ離れた人生の人たちでも、二人がとても大好きだった。

彼女たちは、おたまをちょっと取ってあげても、ありがとう、と笑う。私が風邪をひいていたりすると、すぐに大丈夫？ と心配してくれる。二人が白いエプロンで光の中、くすくす笑っている様子は、涙が出るほど幸福な眺めに思える。彼女たちと共に働くことは、私にとって、とても心の安まる楽しいことだった。

材料を人数分にボールに分けたり、大量のお湯をわかしたり、計量したり、三時までに細かい仕事は結構あった。

陽ざしがたくさん入る窓の大きなその部屋には、オーブンとレンジとガス台のついた大型のテーブルがずらりと並んでいて、家庭科室を思い出させる。私たちはうわさ話をしながら、楽しく働いていた。

二時過ぎのことだ。突然、強くドアがノックされた。

「先生かしらね。」

と首をかしげた典ちゃんが言い、

「どうぞ?」

とか細い声で呼び入れた。

栗ちゃんが急に「あっ、マニキュア落としてない。しかられる!」と騒ぎ出したので私がバッグの上にかがんで除光液を探していた時だった。

ドアが開くと同時に、女の人の声がした。

「桜井みかげさんはいらっしゃいますか。」

私は急に呼ばれてびっくりして立ち上がった。入口の所に立っていたのは、全く知らない女性だった。

顔だちに幼さが残っている。多分、私よりも歳《とし》は下だろうと思われる。背が低くて、丸くきつい瞳《ひとみ》をしていた。黄の薄いセーターの上に茶のコートをはおり、ベージュのパンプスをはいてしっかり立っている。足は、少し太いけどまあ色っぽくていいか、という感じで、全身がそういう丸さだった。せまい額をきちんと出して、前髪もきちんとセットされている。すんなり丸い輪郭の中で、赤い唇が怒ったようにとがって見える。

嫌いな感じの人じゃないけど……と私は悩んだ。これだけ見ても少しも思い出せないとは、ただごとじゃないわ。

典ちゃんと栗ちゃんは、困ってしまって私の陰から彼女を見ている形になった。仕方なく私は言った。

「失礼ですが、どちら様でしたか？」

「奥野と申します。お話があって来ました。」

と、かすれた高い声で彼女は言った。

「申しわけありませんが、今は仕事中ですので、夜にでも自宅のほうにお電話いただけますか？」

私がそう言い終えたとたん、彼女は、

「それは田辺くんの家のことですか？」

と強い調子で言った。やっと、わかった。今朝の電話の人に違いない。確信して、

「違いますよ。」

と私は言った。栗ちゃんが、

「みかげちゃん、もう抜けていいよ。先生には急な旅行で買い物があるからってうまく言っといてあげるよ。」

と言うと、

「いいえ、それには及びません。すぐすみますから。」

と彼女は言った。

「田辺雄一くんのお友達の方ですか。」

私はつとめておだやかに言った。

「ええ、大学のクラスメートです。……今日はお願いがあってやってきました。はっきり申し上げます。田辺くんのことを、もうかまわないで下さい。」

彼女は言った。

「それは田辺くんが決めることであって。」私は言った。「たとえ恋人であってもあなたに決めていただくことではないように思いますけれど。」

彼女は怒りでぱっと赤くなり、言った。

「だって、おかしいと思いませんか。みかげさんは恋人ではないとか言って、平気で部屋に訪ねたり、泊まったり、わがまま放題でしょう。同棲《どうせい》してるよりも、もっと悪いわ。」彼女の瞳からは涙がこぼれそうだった。「私は、確かに同居していたあなたに比べて、田辺くんのことをよく知らない、ただのクラスメートです。でも私なりに田辺くんをずっと見てきたし、好きです。田辺くんはここのところ、お母さんを亡《な》くして、まいってるんです。ずっと前、私は田辺くんに気持ちを打ち明けたことがあります。その時、田辺くんは、みかげがなあ……って言いました。恋人なの？　って私が聞いたら、いや、って首をかしげて、ちょっと保留にしておいてくれって言いました。彼の家に女の人が住んでるのは学内でも有名だったから、私はあきらめたんです。」

「もう住んでないわ。」

と、ちゃちゃを入れる形になった私の言葉をさえぎって彼女は続けた。

「でも、みかげさんは恋人としての責任を全部のがれてる。恋愛の楽しいところだけを、楽して味わって、だから田辺くんはとても中途半端《はんぱ》な人になっちゃうんです。そんな細い手足で、長い髪で、女の姿をして田辺くんの前をうろうろするから、田辺くんはどんどんずるくなってしまう。いつもそういう中途半端な形でつかず離れずしていられれば、便利ですよね。でも、恋愛っていうのは、人が人の面倒をみる大変なことじゃあないんですか？　そういう重荷をのがれて、涼しい顔をして、なんでもわかってますっていう態度で……もう、田辺くんを離してあげて下さい。お願いします。あなたがいると田辺くんはどこにも行けないんです。」

彼女の人間洞察はかなり自分に都合の良い方向に傾いていたけれど、その言葉の暴力は私の痛いところをかなり正確についていたので、私の心はたくさん傷ついた。まだなにか続きを言おうと彼女の口が開きかけたので、

「ストップ！」と私は言った。彼女はびくっとしてだまった。私は言った。

「お気持ちはわかりますけれどね、でも人はみんな、自分の気持ちの面倒は自分でみて生きているものです。……あなたの言ってることの中に、たったひとつ、私の気持ちだけが入ってなかった。私が、なにも考えていないことが、どうして初対面のあなたにわかるの？」

「どうしてそんな冷たい言い方できるの？」

彼女は涙をこぼして問い返した。

「じゃあ、そんな態度でも、ずっと田辺くんを好きだったっていうの？　信じられないわ。お母さんが亡くなったのをいいことに、すぐ泊まりに行ったりして、手口が汚いわ。」

私の心の中は、いやな悲しさでいっぱいになっていった。

雄一のお母さんが、男だったことも、私が彼の家に引き取られた時、どんな精神状態だったのかも、私と雄一が今どんな複雑な、吹けば飛ぶような関係であるかも、別に彼女は知りたくないのだ。単になんくせをつけに来たのだ。それで恋がかなうわけでもないのに、朝のあの電話の後ですぐに私のことを調べて、仕事場をつきとめ、住所を控え、どこか遠くからここまで電車に乗ってくる。そのすべてが、なんと悲しくて救いのない暗い作業だろう。わけのわからない怒りを駆り立ててこの部屋に入ってきた彼女の頭の中や、毎日の気持ちを想像したら、私は心からもの哀《がな》しくなってしまった。

「私も、感受性というものを持っているつもりなんですが。」私は言った。「知人を亡くしてまだ日が浅いのは私も全く同じなんです。そして、ここは仕事中の職場です。これ以上なにかおっしゃりたいなら。」

本当は、自宅に電話を、と言おうと思ったのだが、私はそのかわりに、

「泣いて包丁で刺したりしますけど、よろしいですか。」

と言ってしまった。我ながら情けない発言だと思った。彼女は私をきっ、とにらんで、

「言いたいことは全部言いました。失礼します。」

と冷たく言い放ち、コツコツ音を立ててドアへ歩いていった。そして、ばーん、とドアをすごい音で閉めて、出ていった。

全く利害が一致していない面会が、あと味悪く、終わった。

「みかげちゃん、絶対に悪くないよー。」

栗ちゃんがそばに来て心配そうに言った。

「うん、あの人変よ。やきもちで少し変になってるんだと思うわ。みかげちゃん、元気出してね。」

典ちゃんが私をのぞき込むようにやさしく言った。

午後の光が射《さ》す調理室に立ちつくしたままで、私は、とほほ、と思った。


歯ブラシとタオルも置きっぱなしで出てきたので、夕方は田辺家に帰った。雄一は出かけたらしく、いなかった。私は勝手にカレーを作って、食べた。

私にとってここで、ごはんを作ったり食べたりするのは、やはり自然すぎるくらい自然だわ、とあらためて自分に聞いた答えをぼんやりとかみしめていたら、雄一が帰ってきた。「おかえり。」私は言った。彼はなにも知らないし、悪くないのになんとなく彼の

目を見ることができなかった。「雄一、私、あさってから急に仕事で伊豆に行くことになったのね。それで、部屋とかごたごたのままで出てきちゃったから、片づけてから旅立ちたいので今日は帰ります。ああ、カレー残ってるから食べていいわよ。」

「おお、そうか。じゃあ車で家まで送ってやるよ。」

と雄一は笑った。

——車が、走り出す。街がすべり出す。もう五分もすれば、私のアパートに着いてしまう。

「雄一。」私は言った。

「ん？」

ハンドルを持ったまま彼は言った。

「えーと、お茶、お茶を飲みに行きましょう。」

「荷作りとかしたくて、気持ちあせってるんじゃないの？　ぼくは全然かまわないけど。」

「ううん、お茶がものすごく飲みたくて。」

「じゃ、行こう。どこに行く？」

「うーん、ああ、あの、美容室の上にある紅茶専門店、あそこにしましょう。」

「街はずれで遠いのに。」

「ううん、あそこがいい気がするの。」

「よし、そうしよう。」

わけがわからないなりにも彼はすごくやさしかった。私の気持ちは弱っているので、今すぐアラビアへ月を見に行きましょう、と言ってもうんと言ってくれそうに思えた。

二階にあるその小さな店はとても静かで明るい。白い壁に囲まれていて、あたたかく暖房がきいている。二人でいちばん奥の席に向かい合ってすわった。他に客はなく、映画のサントラがかすかに流れていた。

「雄一、よく考えると二人で喫茶店に入ったのは、初めてだと思わない？　すごく、不思議だけど。」

私は言った。

「そうか？」

雄一は目を丸くした。彼は私の嫌いなアールグレイという臭いお茶を飲んでいた。よく、田辺家の夜更《よふ》けにこの石けんのような香りがあったのを思い出す。物音のない真夜中に私が小さい音でTVを観《み》ていると、雄一が部屋から出てきて、お茶を淹《い》れていた。あまりにも不確かな時間や気持ちの流れの中で、五感にはいろいろな歴史が刻み込まれている。さして重要でなかった、かけがえのないことが、ふいにこんなふうに冬の喫茶店でよみがえってくる。

「君とはいつもお茶をがぶ飲みしている記憶があるから、まさかと思ってたけど、言われてみるとそうだね。」

「ね？　変でしょう。」

私は笑った。

「なにか、なにもかもピンとこないな。」雄一がきつい瞳《ひとみ》で飾りスタンドの明かりを見つめて言った。「きっと、すごく疲れてるんだな。」

「あたりまえよ、当然よ。」

いささか驚いて私は言った。

「みかげも、おばあちゃんが亡くなった頃、疲れてたもんな。今になると、よく思い出せるんだ。ＴＶとか観てて、今のってどういう意味かな、とか言ってソファの上の君を見上げると、なにも考えてない……って顔をしてぼんやりしてることがよくあったろ。今は、よく理解できる。」

「雄一、私は。」私は言った。「雄一が私に対して落ち着いてきちんと話ができるくらいに、しっかりしていることを、とても嬉《うれ》しく思っているわ。誇っているというのに近いかもしれないくらいよ。」

「なんだ、その英文和訳のようなしゃべりは。」

雄一が、ライトに照らされてほほえむ。紺のセーターの肩が揺れる。

「そうね……私に。」できることがあったら言ってね、と言うのをやめた。ただ、こういうとても明るいあたたかい場所で、向かい合って熱いおいしいお茶を飲んだ、その記憶の光る印象がわずかでも彼を救うといいと願う。言葉はいつでもあからさますぎて、そういうかすかな光の大切さをすべて消してしまう。

外へ出ると、澄んだ藍《あい》の夜がはじまっていた。凍えそうに冷え込んできた。車に乗る時、彼はいつもきちんと反対側のドアを開けて私を乗せてから運転席に乗り込む。

車が動き出し、私は言った。

「今時、女性側のドアを開けてくれる男の人は少ないのよ、かっこいいことかもしれないわね。」

「えり子さんに教育されたからな。」雄一が笑って言う。「あの人はぼくがそうしてやらないと、怒って車の中にいつまでも入ってこないんだもん。」

「男のくせにね。」私も笑う。

「そうそう、男のくせに。」

すとん。

と幕のように沈黙が落ちてきた。

街は夜だ。信号待ちのフロントグラスの前をゆきかう人々は、サラリーマンもＯＬも、若者も年寄りもみんな光って美しく見える。静かに冷たい夜のとばりの中を、セーターやコートに包まれて、みなどこかしらあたたかい所を目指してゆく時刻だ。

……ところで、さっきのこわい彼女にも雄一はドアを開けてやっていたのだとふと思ったら、私はふいにわけもわからずシートベルトが苦しくなった。そして、おお、これがしっとというものか、とわかり愕然《がくぜん》とした。幼児が痛みを学習するように、知りはじめている。えり子さんを失って、二人はこんなに暗い宙に浮いたままで、光の河の中を走り続けながらひとつのピークを迎えようとしていた。

わかる。空気の色や、月の形、今を走る夜空の黒でわかる。ビルも街灯も切なく光っている。

私のアパートの前で、車が止まり、

「じゃあ、みやげ待ってるから。」

雄一が言った。今からひとりであの部屋へ帰ってゆくのだ。きっとすぐに草に水をやるのだろう。

「やっぱり、うなぎパイかしら。」

私は笑って言った。街灯の明かりがかすかに雄一の横顔を浮かび上がらせている。

「うなぎパイだと？　あれは東京駅のＫＩＯＳＫにも売ってるんだぞ。」

「じゃあ……お茶かしら、やっぱり。」

「うーん、わさび漬はどうかな。」

「ええっ？　あれ苦手よ。おいしい？　あれ。」

「ぼくも、数の子の奴《やつ》しか好きじゃない。」

「じゃあ、そいつを買うわ。」

私は笑って、車のドアを開けた。

あたたかい車内に、突然凍った風がぴゅうと吹き込む。

「寒い！」と私は叫んだ。「雄一、寒い寒い寒い寒い。」そして、雄一の腕に強くしがみついて顔を埋めた。セーターは落葉の匂《にお》いがしてあたたかかった。

「伊豆のほうはきっと、もう少しあったかいよ。」

そう言って、ほとんど反射的に雄一は、もう片方の腕で私の頭を抱いた。

「いつまで行くって？」

彼はそのまま言った。胸から直接、声の響きを聞いた。

「三泊四日。」

私はそっと彼から離れて言った。

「その頃にはもう少しましな気分になってると思う、そうしたら、また外でお茶をしようではないか。」

雄一が私を見て笑った。うん、と私は言って、車を降りて手を振る。

今日あったいやなことは、とりあえずみんななかったことにしよう。

と車を見送りながら私は思った。

私が彼女よりも勝ってるとか、負けているとか、誰に言えよう。誰のポジションがいちばん良かったかなんて、トータルできないかぎりは誰にもわからない。しかもその基準はこの世にないし、ことにこんな冷たい夜の中では、私にはわからない。全然、見当もつかない。

えり子さんの思い出。いちばん悲しい奴。

たくさんの植物を窓辺に置いて育てていた彼女が初めて買ったのは、パイナップルの鉢だった。

という話をいつか聞いた。

——真冬だったのよ。

えり子さんは言った。

みかげ、その時、あたしまだ男だったわ。

男前だったけど、ひとえまぶたで、もう少し鼻も低かった。整形する前だったからね。

あの頃のあたしの顔を、あたしはもう思い出せない。

少し肌寒い、夏の夜明けのことだった。雄一は外泊していて家にいなくて、えり子さんはお客からもらってきた肉まんをおみやげに店から帰ってきた。私は例によって、昼間ビデオにとった料理番組をメモしながら観ている最中だった。青い夜明けの空が、東からゆっくりと明るくなりはじめていた。せっかくだから、今、肉まん食べましょうか、とレンジにかけてジャスミン茶を淹れていたら、ふいにえり子さんがそれを語りはじめたのだ。

私は少しびっくりしたが、きっとお店でいやなことでもあったのでしょう、と思ったので、うつろに眠い頭で聞いていた。彼女の声がまるで夢の中に響くように感じた。

——昔ね、雄一のお母さんが死んじゃう時のことよ。あたしじゃなくて、あの子を産んだ、当時の、男だったあたしの妻のことね、彼女はガンだったの。どんどん悪くなっていく頃ね。なにしろ愛し合っちゃってたからね、雄一は近所の人にムリヤリ預けて、毎日、見舞いに行った。会社づとめをしていたから出勤前と退社後はいつも付き添ってたわ。日曜は雄一も一緒に行ったけど、わけわかんないくらい小さかったのよね。……あの頃あった希望を、どんなに小さいものも絶望と呼べる自信があるわ。世にも暗い毎日だった。その頃は、それほどそう感じなかったけれどね、そこがまあ、また暗いところね。

まるで甘いことを語るようにまつげをふせて、えり子さんが言った。青い空気の中で彼女はぞっとするほど美しく見えた。

〝病室に、生きてるものがほしいの〟

って妻がある日、言ったの。

生きて、太陽に関係がある、植物ね、植物がいいな。あまり細かく世話をしなくてよくって、とても大きい鉢を買って。ってね。日頃、あまり要求のない妻が甘えたものであたし嬉しくて花屋へ飛んでいった。男っぽかった私はまだベンジャミンとかさ、セントポーリアとか知らなくて、サボテンじゃなんだしねえって、パイナップルを買ったの。小さな実がついてて、わかりやすかったのでね。抱えて病室に持ってったら、彼女は大喜びして何度もありがとうを言った。

いよいよ病状が末期になって、昏睡《こんすい》に入ってしまう三日前にね、突然、帰り際《ぎわ》に言うのよ。パイナップル家に持って帰ってくれる？って。見た目はそんなに彼女、ひどく悪いようには見えないし、もちろんガンだなんて言っちゃいないのに、完全に遺言調にささやくわけよ。あたしはびっくりして、枯れたってなんだって、ここに置いときなよって言ったのね。でも妻は、水もやれないし、南から来た明るい植物に、死がしみ込む前に持って帰ってって泣いて頼むのよ。仕方ないから持って帰ったわよ。抱えてさ。

男のくせに私、めちゃめちゃ泣いちゃってたから、くそ寒いのにタクシーに乗れないのよ。男ってもういやだってその時、初めて思ったのかもね。でも、まあ少し落ち着いて、駅まで歩いちゃったから、ちょっと飲み屋で飲んで、電車で帰ることにした。夜で、あまりホームに人がいなくて、凍えるような風が吹いていたわ。パイナップルのとげとげした葉っぱをほほにつけて、鉢植えを抱きしめてふるえて——この世に、自分とパイナップルしか今夜わかり合えるものはいないって、心から言葉にしてそう思った。目を閉じて、風にさらされて寒さに寄り添う、この二つの生命だけが同じに淋《さび》しいって。……誰よりもわかり合えた妻は、もう、私よりもパイナップルよりも、死のほうと仲良しになってしまった。

その後すぐに妻は死んで、パイナップルも枯れたわ。あたし、世話の仕方がわからなくて水やりすぎたのね。パイナップルを庭のすみに押しやって、うまく口に出せないけれど、本当にわかったことがあったの。口にしたらすごく簡単よ。世界は別に私のためにあるわけじゃない。だから、いやなことがめぐってくる率は決して、変わんない。自分では決められない。だから他のことはきっぱりと、むちゃくちゃ明るくしたほうがいい、って。……それで女になって、今はこのとおりよ。

その頃の私には、その言葉の意図はつかめたけれど、ぴんとこなくて〝楽しさって、そういうことなのかな〟と思ったのをおぼえている。でも、今は、吐きそうなくらいわかる。なぜ、人はこんなにも選べないのか。虫ケラのように負けまくっても、ごはんを作って食べて眠る。愛する人はみんな死んでゆく。それでも生きてゆかなくてはいけない。

……今夜も闇《やみ》が暗くて息が苦しい。とことん滅入《めい》った重い眠りを、それぞれが戦う夜。

翌朝はよく晴れた。

旅行にそなえて朝、洗濯をしていたら、電話が鳴った。

十一時半？　変な時間の電話だ。

首をかしげて出ると、

「あーっ、みかげちゃあん？　お久しぶり！」

と高くかすれた声が叫んだ。

「ちかちゃん？」

私はびっくりして言った。電話は外からで車の音がうるさかったが、その声は私の耳にはっきりと届いて、その姿を思い出させた。

ちかちゃんは、えり子さんのお店のチーフでやはりオカマの人だ。昔よく田辺家に泊まりにきた。えり子さん亡《な》き後は、彼女が店をついだ。

彼女、とはいうが、ちかちゃんはえり子さんに比べて、どこから見ても男、という印象は否《いな》めない。しかし化粧ばえのする顔だちをしていて、細く背が高い。派手なドレスがよく似合うし、ものごしが柔らかい。一度地下鉄の中で小学生にからかわれてスカートをまくられたら、泣きやまなくなってしまった、気の小さな人だ。あまり認めたくないけど、彼女といるといつも私のほうがずっと男らしいような気がする。

「ね、あたし今、駅ん所にいるんだけどさ、ちょっと出てこれない？　話があるの。お昼食べた？」

「まだ。」

「じゃ、今すぐ更科に来てね！」

せっかちにちかちゃんはそう言って電話を切ってしまった。仕方ないので、私は洗濯物を干すのを中断して、あわてて部屋を出た。

さんさんと晴れて日陰のない冬の真昼の街を急いで歩いた。駅前の商店街にあるその指定のそば屋に入ると、ちかちゃんは上下スウェットスーツという恐るべき民族衣装でたぬきそばを食べながら待っていた。

「ちかちゃん。」

私が近づくと、

「ひゃーあ、お久しぶり！　すっかり女っぽくなっちゃって、近よりがたいったらないわ。」

大声で言った。恥ずかしさより、なつかしさにじんときた。これほど屈託のない、どこに出しても恥ずかしくないわよ的笑顔を私は他で見ない。ちかちゃんは満面笑みをたたえて私を見ていた。少し照れた私は大声で、鶏《とり》きしめん下さい、と言った。店のおばさんが忙しそうにやってきて、どっかんと水を置いた。

「話はなんなの？」

きしめんを食べながら私は切り出した。

彼女が話があるという時はいつもろくでもない相談だったので、今回もそんなところだろうと思っていたが、彼女は大変なことを言うようにささやいた。

「それがねえ、雄ちゃんのことなの。」

私の心がどきりと音を立てた。

「あの子ね、昨日夜中に店に来て、あー、眠れない！　って言うの。調子悪いから気晴らしにどこかへ行こうって。ああ、勘違いしないでね。あたし、あの子がこーんなに小さい時から知ってるのよ。変な関係じゃなくてまあ、親子ね、おやこ。」

「知ってますって。」

笑って私は言った。ちかちゃんは続けた。

「あたし、びっくりしたのよ。あたしってばかだから人の気持ちって、あんまりいつもよくわからないんだけど……あの子って絶対に弱いところ人に見せない子じゃない？涙はすぐ流すけど、だだこねたりしないでしょ。なのに結構しつこく言うのよ。どっか行こうって。なんだか雄ちゃん、そのまま消えちゃいそうに元気がなかった。本当はつきあってやりたかったけど、今、お店直してるのよ。みんなもまだ不安定で、手が放せないのよね。無理よって言い続けたら、そうかあ、じゃあひとりでどこか行ってこようってしょんぼり言うの。あたし、知ってる宿を紹介してあげたんだけれどね。」

「……うん、うん。」

「あたし、ふざけて、みかげと行っちゃえ！って言ったのね。本当に冗談でさ。そしたら雄ちゃん、真顔で『あいつ、仕事で伊豆だもん。それに、これ以上あいつをうちの家族に巻き込みたくないんだ。今、せっかくうまくやっているところなのに、悪くてさ。』って言うの。あたし、なんだかピンときちゃったのよ。あんた、あれは、愛じゃない？　そうよ、絶対に愛よ。ねえ、あたし、雄ちゃんの泊まってる宿の場所も電話もわかってるからさあ、ねえ、みかげ、追っかけてってさ、やっちゃえ！」

「ちかちゃーん。」私は言った。「私はさあ、明日の旅行、仕事で行くのよ。」

私はショックを受けた。

私には、雄一の気持ちが手に取るようにわかった。わかる、気がした。雄一は今、私の何百倍もの強い気持ちで、遠くへ行きたいのだ。なにも考えなくていい所へ、ひとりで行きたいのだ。私も含めたすべてから逃げて、ことによると当分帰らないつもりかもしれない。間違いない。私には確信があった。

「仕事なんてなにさ。」ちかちゃんは身をのりだして言った。「こういう時、女がしてやれることなんてたったひとつよ。それともなあに、まさかあんた処女？　あっ、それともあんたたちってとっくにやっちゃってるの？」

「ちかちゃん。」

それでも私は、世の中の人がみんなちかちゃんみたいだったらいいのに、とほんの少し思う。ちかちゃんの目に映る私と雄一は、実際よりもずっと幸福そうに見えたからだ。

「よく考えるけど。」私は言った。「私だってえり子さんのこと、聞いたばっかりで、それでも頭の中が混乱しちゃっているのに、雄一はもっとすごいと思うの。今、土足でふみ込むようなことは、できないわ。」

するとちかちゃんがふいに真顔になってそばから顔を上げた。

「……そうなのよ。あたしね、あの夜、店に出てなくてさ、えりちゃんの死に目にも会っていないのよ。だからまだ信じられなくて……でもあの男の顔は知ってたわ。あいつが店に通ってるうちに、もっとえり子が相談してくれていたら、絶対にあんなことさせなかった。雄ちゃんも、くやしいのよ。あんなにやさしい子が、こわい顔してニュース見て、『人を殺すような奴《やつ》はみんな死んでいい。』って言ってたわ。雄ちゃんも、ひとりぼっちになっちゃったわね。えりちゃんの、なんでも自分で解決しちゃうところがこんな形で裏目に出るなんて、あんまりよね。」

ちかちゃんの瞳《ひとみ》から、次々と涙があふれてきた。私が、あ、あ、と言っているうちにちかちゃんはおいおい泣きはじめて店中の人がこちらを見た。ちかちゃんは肩をふるわせて泣きじゃくり、そばのつゆにぽたぽたと涙が落ちた。

「みかげちゃん、あたし淋しい。どうしてこんなことになるの？　神様って、いないのかしら。もう、これからずっと、えりちゃんに会えないなんて絶対いや。」

いつまでも泣きやまないちかちゃんを連れて店を出て、その高い肩を支えて駅まで歩いて行った。

ごめんね。とレースのハンカチで目を押さえて、改札の所でちかちゃんは私に雄一の泊まる宿の地図と電話のメモをくしゃっと握らせた。

——さすが水商売、やることはやる。ツボは押さえてるわ。

と感心しながら、私はその大きな背中を切なく見送った。

私は彼女の早とちりも、恋にだらしないことも、昔は営業マンで、仕事についてゆけなかったことも、みんな知っているけれども……今の涙の美しさはちょっと忘れがたい。人の心には宝石があると思わせる。

冬のつんと澄んだ青空の下で、やり切れない。私までどうしていいかわからなくなる。空が青い、青い。枯れた木々のシルエットが濃く切り抜かれて、冷たい風が吹き渡ってゆく。

〝神様って、いないのかしら〟

私は翌日、予定どおり伊豆へと出発した。

先生と、スタッフ数名と、カメラマンとの小人数の編成で、明るく和やかな旅になりそうだった。日程もさほどきつくない。

やはり、こう思う。今の私には――夢のような旅行だ。降ってわいたようだ。

この半年から解き放たれる気がする。

この半年……おばあちゃんが死んだところから、えり子さんが死ぬまで、表面的には私と雄一はずっと二人笑顔でいたけれど、内面はどんどん複雑化していった。嬉《うれ》しいことも悲しいことも大きすぎて日常では支え切れなかったから、二人は和やかな空間を苦心して作り続けた。えり子さんはそこに輝く太陽だった。

そのすべてが心にしみ込んで、私を変えた。甘ったれてアンニュイだったあのお姫様は今は鏡の中でその面影に出会うだけの遠くへ行ってしまったように、思う。

車窓をゆく、きりりと晴れた景色を見つめて、私は自分の内部に生まれたとほうもない距離を呼吸した。

……私も疲れ切っている。私もまた、雄一から離れて楽になりたい。

それはひどく悲しいことだけれど、そうなんだと思う。

その夜のことだ。

私は浴衣《ゆかた》姿で先生の部屋へ行って、言った。

「先生、私、死ぬほど腹がへったんですけど外出してなにか食べてきていいですか。」

一緒にいた年配のスタッフが、

「桜井さん、なにも食べてなかったものねえ。」

と大笑いした。彼女たちはまさに眠る仕度をしているところで、二人共もう寝まきを着てふとんの上にすわっていた。

私は本当にひもじかった。その宿の名物だという野菜料理は、好き嫌いのないはずの私の嫌いな臭い野菜がなぜかオールスター入っていて、ろくに食べられなかったのだ。先生は笑って許してくれた。

夜の十時をまわっていた。私は長い廊下をてくてく歩いていったん自分のひとり部屋へ戻り、着替えて宿を出た。閉め出されるとこわいので裏の非常口のドアのカギをそっと開けておいた。

その日は、あのおぞましい料理の取材だったが、明日はバンに乗ってまた移動する。月明かりの下を歩きながら、私は心底、ずっとこうして旅をして生きてゆけたらいいだろうなと思った。帰る家族があればロマンチックな気分なのだろうけれど、私は本当のひとり身なのでシャレにならないくらい強く孤独も感じる。でも、そうして生きてゆくのが自分にはいちばん合うような気さえした。旅先の夜はいつも空気がしんと澄んで、心が冴《さ》える。どうせどこの誰でもないのなら、こうして冴えた人生を送れたら、と思う。

困ったことに雄一の心が理解できてしまう。……もうあの街へ帰らなくてすめば、どんなに楽だろう。

宿が立ち並ぶ街道をずっと下っていった。

山々の黒い影が、闇《やみ》よりもずっしりと黒く街を見つめている。浴衣の上に丹前を着た寒そうな酔っぱらいの観光客がたくさんいて、大声で笑いゆきかう。

私は妙にうきうきして楽しかった。

ひとりで星の下、知らない土地にいる。

街灯がある度に伸びては縮む影の上を歩いていった。

うるさそうな飲み屋はこわいので避けてゆくと、駅の近くまで出てしまった。真っ暗なみやげもの屋のガラスをのぞきながら、私はまだ開いているめし屋の明かりを見つけた。すりガラスの戸をのぞき込むと、カウンターだけで、客はひとりしかいなかったので、私は安心して引き戸を開けて入った。

なにか思い切り重いものが食べたくて、

「カツ丼《どん》を下さい。」

と私は言った。

「カツから揚げるから、少し時間がかかるけどいいかい。」

と店のおじさんが言った。私はうなずいた。白木の匂《にお》いがするその新しい店は、手のゆき届いた感じのいい雰囲気だった。こういう所はたいていおいしい。私は待ちながら、手の届く所に置いてあるピンクの電話を見つけた。

私は手を伸ばして受話器を取り、ごく自然な気持ちでメモを出して雄一の宿に電話をかけてみた。

宿の女の人が電話を切り替えて雄一を呼んでいる間に、私はふと思った。

えり子さんの死を告げられて以来、ずっと私が彼に感じているこの心細さは〝電話〟に似ている。あれ以来の雄一はたとえ目の前にいても電話の向こうの世界にいるように感じられた。そしてそこは、私の今生きている場所よりもかなり青い、海の底のようなところだという気がした。

「もしもし？」

雄一が電話に出てきた。

「雄一？」

私はほっとして言った。

「みかげかー？ どうしてここがわかったんだい？ ああ、そうか、ちかちゃんか。」

少し遠くにあるその静かな声は、ケーブルを抜けて夜を駆けてくる。私は目を閉じて、なつかしい雄一の声の響きを聞いていた。それは淋《さび》しい波音のように聞こえた。

「そこって、なにがある所なの？」

私はたずねた。

「デニーズ。なんて、うそうそ。山の上に神社があって、それが有名かな。ふもとはずっと御坊料理とかっていって、とうふ料理を出す宿ばっかりで、ぼくも今夜食った。」

「どんな料理？　面白そうね。」

「ああ、君は興味あるか。それがさ、すべてとうふ、とうふなんだ。うまいんだけどね、とにかくとうふづくしなの。茶わんむし、田楽、揚げ出し、ゆず、ごま、みんなとうふ。すまし汁の中にも玉子どうふが入っていたのは言うまでもないね。固いものがほしくて、最後はめしだろう！　と待ってたら茶がゆでやんの。じじいになったような気分だったよ。」

「偶然ね。私も今、空腹なのよ。」

「なんで、食べ物の宿じゃないの？」

「嫌いなものばっかり出ちゃったのよ。」

「君の嫌いなものばっかりなんて、すごく確率の低そうなことなのに、不運だね。」

「いいの、明日はおいしいものを食べるから。」

「いいよなあ。ぼくの朝ごはんは見当つくもんな……湯どうふだろうなあ。」

「あの、小さな土鍋《どなべ》を固形燃料で熱する、あれよね。間違いないわね。」

「ああ、ちかちゃんはとうふ好きだから嬉々《きき》としてここを紹介してくれてさ、確かにすごくいい宿なんだ。窓が大きくて、滝みたいなのが見えて。でも、育ちざかりのぼくは今、カロリーが高くて、油っこいものが食いたいよ。……不思議だな。同じ夜空の下で今、二人共おなかを空《す》かしているんだからな。」

雄一は笑った。

ひどくばかげているけれど、私はその時、今からカツ丼食べるんだ！　と自慢することがなぜかできなかった。なんでだか、この上ない裏切りのように思えてならなくて、雄一の頭の中では一緒に飢えていてやりたかった。

私のカンはその瞬間、ぞっとするほど冴えていた。私には手に取るようによくわかった。

二人の気持ちは死に囲まれた闇の中で、ゆるやかなカーブをぴったり寄り添ってまわっているところだった。しかし、ここを越したら別々の道に別れはじめてしまう。今、ここを過ぎてしまえば、二人は今度こそ永遠のフレンドになる。

間違いない、私は知っていた。

でも私はなすすべを知らない。それでもいいような気さえ、した。

「いつ頃帰るの？」

私は言った。

雄一はしばらく黙った後で、

「じきだね。」

と言った。うそが下手な奴、と私は思った。きっとお金の続くかぎり、彼は逃亡する。そして、この間えり子さんの死の知らせを延ばし延ばしにしたのと同じ気まずさを勝手に背おって私に連絡できなくなる。それが彼の性格だ。

「じゃあ、またね。」

私は言った。

「うん、また。」

彼もきっと、なぜ逃げたいのかさえ自分でもわからないのだろう。

「手首切ったりしないでね。」

私は笑って言った。

「けっ。」

と笑って雄一はじゃ、と電話を切った。

とたん、ものすごい脱力感がおそってきた。受話器を置いてからずっとそのまま、店のガラス戸をじっと見つめて、風に揺れる外の音をぼんやり聞いていた。道ゆく人が寒い寒い、と言い合うのが聞こえた。夜は今日も世界中に等しくやってきて、過ぎてゆく。触れ合うことのない深い孤独の底で、今度こそ、ついに本当のひとりになる。

人は状況や外からの力に屈するんじゃない、内から負けがこんでくるんだわ。と心の底から私は思った。この無力感、今、まさに目の前で終わらせたくないなにかが終わろうとしているのに、少しもあせったり悲しくなったりできない。どんよりと暗いだけだ。どうか、もっと明るい光や花のあるところでゆっくりと考えさせてほしいと思う。でも、その時はきっともう遅い。

やがてカツ丼がきた。

私は気をとり直して箸《はし》を割った。腹がへっては……、と思うことにしたのだ。外観も異様においしそうだったが、食べてみると、これはすごい。すごいおいしさだった。

「おじさん、これおいしいですね！」

思わず大声で私が言うと、

「そうだろ。」

とおじさんは得意そうに笑った。

いかに飢えていたとはいえ、私はプロだ。このカツ丼はほとんどめぐりあい、と言ってもいいような腕前だと思った。カツの肉の質といい、だしの味といい、玉子と玉ねぎの煮え具合といい、かために炊《た》いたごはんの米といい、非の打ちどころがない。そういえば昼間先生が、本当は使いたかったのよね、とここのうわさをしていたのを思い出して、私は運がいいと思った。ああ、雄一がここにいたら、と思った瞬間に私は衝動で言ってしまった。

「おじさん、これ持ち帰りできる？　もうひとつ、作ってくれませんか。」

そして、店を出た私は、真夜中近くに満腹で、カツ丼のまだ熱いみやげ用パックを持ちとほうにくれてひとりで道に立ちつくすはめになってしまった。

本当に私はなにを考えていたんでしょう、どうしよう……と思っている目の前に、タクシー待ちと勘違いしてすべり込んできた空車の赤い文字を見た時、決心した。

タクシーに乗り込んで告げた。

「I市まで行ってもらえますか。」

「I市――？」すっとんきょうな声で言って運転手が私を振り向いた。「俺はありがたいけど、遠いし、高くつくよ？　お客さん。」

「ええ、ちょっと急用でね。」私は王太子の前に出たジャンヌ・ダルクのように堂々としていた。これなら信用されると自分でも思えた。「そして着いたら、とりあえずそこまでの分をお支払いしますから。二十分くらい向こうで用がすむまで待ってもらって、またここまで折り返してほしいんです。」

「色恋ざただね。」

彼は笑った。

「まあ、そんなところですね。」

私も苦笑した。

「よし、行きましょう。」

タクシーは夜の中を、I市に向かって走り出した。私と、カツ丼を乗せて。

昼間の疲れで初め、うとうとしていた私は、ほとんど他に車のいない一本道を速く飛ばしている時、ふいに目が覚めた。

手も足もまだ眠りの中にあってあたたかかったが、意識だけが〝覚醒《かくせい》〟というようなはっきりした感じでふいに冴えた。暗い車内で窓に向かって体を起こしてすわり直すと、運転手が、

「空いてたんで速かったねえ、もうすぐ着くよ。」

と言った。

私はええ、と言って空を見上げた。

月は高く明るく、星をかき消して夜空を渡ってゆく。満月だった。雲にかくれ、さらりとまた姿を現す。車の中は暑く、息でガラスが曇った。木々や畑や山々のシルエットが切り絵のようにゆき過ぎる。トラックが時折すごい音で追い越してゆき、しんと静まるその後で、アスファルトが月に光る。

——やがて車はI市内に入った。

深く沈んだ暗い街並みの民家の屋根に混ざって、小さな神社の鳥居がいくつも、いくつもあった。細い坂道をぐんぐん登ってゆく。山に続くケーブルカーの線が闇《やみ》に太く浮かんでいた。

「このへんの宿はさ、昔、ぼうずが肉を食っちゃいけないっていうんでとうふをいろいろに工夫して食ってたんだよ、そいつをなんて言うの、今風にしてお客に出すのが売りものなんだよね。あんたも今度昼来て、食べてみるといいよ。」

運転手が言った。

「そうらしいわね。」

私は闇の中で等間隔でやってくる街灯の明かりに目を細めて地図を見ていた。

「あ、次の角の所で止めて下さい。すぐに戻ってきますから。」

「はいはい。」

と彼は言い、車は急停車した。


外はじんとするほど冷たく、すぐに手とほほが凍った。手袋をとり出してはめると、月明かりの坂道を、カツ丼《どん》の入ったリュックをしょって、私は上っていった。

不安な予感は的中した。

彼の泊まっている宿は、夜中に生やさしく入れるような古い造りではなかったのだ。表玄関はガラスの自動開き戸でがっちりロックされていたし、外階段の非常口もカギがかかっていた。

仕方なく、私は道路までバックして電話をかけてみたが誰も出ない。あたりまえだ、夜中なのだ。

私は、こんな遠くまで来ていったいなにをやってるんでしょう、と真っ暗な宿の前でとほうにくれてしまった。

そして、なんとなくあきらめ切れずに宿の庭へまわっていった。非常口の横の細い路地を無理に抜けたのだ。確かに雄一の言うとおり、この宿は滝の見える庭を売りものにしているらしく、全部の窓が滝を見るべく庭向きについている。そのすべてがもう真っ暗だった。私はため息をついて庭を見つめた。つくりものの欄干が岩に渡してあり、高くから細い滝がざあざあ音を立てて、こけむした岩へと落ちていた。冷たそうな水しぶきが闇に白い。その滝全体を、すごい明るさのみどり色のライトがあちこちから照らしていて、不自然なまでにくっきりした庭木の色をきわだたせている。その光景は私に、ディズニーランドのジャングルクルーズというのを思い出させた。うそのみどり色だ……と思いながら私は振り向いて、もう一度いちめんに並ぶ暗い窓を眺めた。

とたん、なぜか私は確信した。

ライトを反射してみどりに光る、いちばん手前の角部屋が雄一の部屋だ。そう思うと、今にも窓の中をのぞき込めそうに感じられて、私はなんとなく、積んである庭石にちょっと登ってみた。

するど、一階と二階の間にある飾り屋根のへりがぐんと近く見えた。背伸びすると届きそうに思える。不自然な形に積まれた庭石の安定を確かめながら、二段、三段と登ると、いっそう近づく。私はためしに雨どいに向かって手を伸ばしてみた。かろうじてつかめる。私は思い切りジャンプして片手で雨どいにつかまり、ぐいっと力を入れてもう片方の手を飾り屋根の上にひじまでのせてかわらをしっかりつかんだ。突然、建物の壁面が垂直にせまり、私のみがかれていない小さな運動神経がひゅう、と音を立ててすくむのがわかった。

飾り屋根の張り出したかわらにつかまったまま、ぎりぎりのつまさき立ちで進退きわまった私は、困ってしまった。腕が寒さでじんとしびれ、悪いことにはリュックの肩の片方がずり落ちた。

あらー、と私は思った。ほんのでき心だったのに、屋根にぶらさがって白い息を吐いているなんて、まいったわね、と。

下を見ると、さっき足元だった辺りはぐんと暗く、遠い。滝の水音がやけに大きく響く。仕方がない、と私は腕に精一杯の力を込めて、けんすいを試みた。とにかく上半身を屋根にのせようと、思い切り勢いをつけて壁をけとばした。

　ずずっと音がして、熱い痛みが右の腕に走った。私は、はうようにしてその飾り屋根のコンクリの上へころがり込むことができた。雨水かなにかの汚い水たまりに、足がびしゃっとつかった。

　あーあ、と寝ころんだままの姿勢で腕を見たら、今、生まれたすり傷がいちめん赤く染まっていてくらっとした。

　本当はみんな、こうなんだわ。

　リュックを横に放り出して仰向けに寝たままで旅館の屋根を見上げて、その向こうに見える光る月や雲を見つめて私は思った。(よくもまあその状態でそんなことを考えたものだと思う。やけくそだったのだろう。行動する哲学者と呼んでもらいたい)

　人はみんな、道はたくさんあって、自分で選ぶことができると思っている。選ぶ瞬間を夢見ている、と言ったほうが近いのかもしれない。私も、そうだった。しかし今、知った。はっきりと言葉にして知ったのだ。決して運命論的な意味ではなくて、道はいつも決まっている。毎日の呼吸が、まなざしが、くりかえす日々が自然と決めてしまうのだ。そして人によってはこうやって、気づくとまるで当然のことのように見知らぬ土地の屋根の水たまりの中で真冬に、カツ丼と共に夜空を見上げて寝ころがらざるをえなくなる。

——ああ、月がとてもきれい。

私は立ち上がり、雄一の部屋の窓をノックした。

かなり待ったような気がした。濡《ぬ》れた足に風がじんじんしみた頃、部屋の明かりが突然ぱっとついて、おびえ切った表情の雄一が部屋の奥から登場した。

屋根に立ち、窓から半身だけ見える私を見つけると、雄一は目をまん丸くして、みかげー？　と口を動かした。そして私が窓を再びノックしてうなずくと、あわてて窓をがらがら開けた。私が伸ばした冷え切った手を、雄一が引っぱり上げてくれた。

ふいに明るくなった視界に目がちかちかした。部屋の中は別世界のようにあたたかく、バラバラだった体と心がやっとひとつに戻るような気がした。

「カツ丼の出前にきたの。」私は言った。「わかる？　ひとりで食べたらずるいくらい、おいしいカツ丼だったの。」

そして、リュックの中からカツ丼のパックをとり出した。

蛍光灯の明かりが青い畳を照らしていた。TVの低い音が流れている。ふとんは、今雄一が出てきた形のままストップしていた。

「昔もこういうこと、あったな。」雄一が言った。「夢の中で話した。今も、そうなのか？」

「歌でも歌ってみる？　二人で一緒に。」
私は笑った。雄一を見たとたんに、私の心からもぐんと現実感が遠くなった。今まで
ずっと知り合いだったことも、同じ部屋で生活していたことも、すべて遠い夢のように
思えてならなかった。彼の心は今、この世になくて、私は彼の冷たい瞳《ひとみ》がこわかった。
「雄一、悪いけどお茶を一杯くれる？　私は、すぐに行かなくちゃいけないの。」
夢でもいいから、と私はつけ足した。
「うん。」
と彼は言って、ポットときゅうすを持ってきた。そして、湯気の出る熱いお茶を淹《い》れ
た。私は両手で茶わんを持ち、飲んだ。やっとほっとする。生き返る。
そして、部屋の空気の重さをあらためて感じる。もしかしてここは本当に雄一の悪夢
の中かもしれないと思えた。ここに長くいればいるほど、私もこうして雄一の悪い夢の
部分となって、闇に消えてしまいそうだ。このまま、かすんだ印象として、運命として
——私は言った。
「雄一、本当はもう帰りたくないんでしょう？　今までの変な人生のすべてと訣別《けつべつ》して、
やり直すつもりなのね。うそをついてもだめ。私は、知っている。」言葉は絶望を語っ
ているのに、不思議と落ち着いていた。「でも今は、とにかくカツ丼よ。はい、食べ
て。」

青い沈黙は涙が出るほど息苦しくせまってきた。うしろめたい瞳をふせた雄一は、カツ丼を受けとる。生命を虫食いのようにむしばむその空気の中、予想もつかなかったなにかが私たちを後押しした。

「みかげ、その手どうした?」

私のすり傷に気づいた雄一が言った。

「いいから、まだ少しでもあったかいうちに食べてみて。」

ほほえんで私は手のひらで示した。

まだなんとなくふに落ちない様子だったが、

「うん、おいしそうだね。」

と言って雄一はふたを開け、さっきおじさんがていねいに詰めてくれたカツ丼を食べはじめた。

それを見たとたん、私の気持ちは軽くなった。

やるだけのことはやった、という気がした。

——私は知る。楽しかった時間の輝く結晶が、記憶の底の深い眠りから突然覚めて、今、私たちを押した。新しい風のひと吹きのように、私の心に香り高いあの日々の空気がよみがえって息づく。

もうひとつの家族の思い出。

えり子さんが帰ってくるまで、二人でファミコンをして待った夜。その後三人で眠い目をこすってお好み焼きを食べに行った。仕事でどんよりしていた私に、雄一がくれたおかしい漫画。それを読んでえり子さんも涙が出るまで笑ったこと。晴れた日曜の朝、オムレツの匂《にお》い。床で眠ってしまう度にそっとかかる毛布の感触。えり子さんの歩いてゆくスカートのすそと細い足がはっと目覚めた薄目の向こうにぼんやり見えた。酔った彼女を雄一が車で連れ帰ってきて、部屋まで二人で抱えていったこと……夏祭りの日、浴衣《ゆかた》の帯をえり子さんにきゅっとしめてもらった、あの夕空に舞い狂う赤とんぼの色。

本当のいい思い出はいつも生きて光る。時間がたつごとに切なく息づく。

いくつもの昼と夜、私たちは共に食事をした。

いつか雄一が言った。

「どうして君とものを食うと、こんなにおいしいのかな。」

私は笑って、

「食欲と性欲が同時に満たされるからじゃない？」

と言った。

「違う、違う、違う。」

大笑いしながら雄一が言った。

「きっと、家族だからだよ。」

えり子さんがいなくても、二人の間にはあの明るいムードが戻ってきた。雄一はカツ丼を食べ、私はお茶を飲み、闇はもう死を含んでいない。それで、もうよかった。

「じゃあ、帰るわ。」

私は立ち上がった。

「帰る？」雄一がびっくりしたように言った。「どこに？　どこから来たんだ？」

「そうよ。」私は鼻にしわを寄せて、からかう言い方で言った。「言っとくけど、これは現実の夜よ。」そうしたら、口が止まらなくなった。「私は伊豆から、タクシーでここまで飛んできたの。ねえ雄一、私、雄一を失いたくない。私たちはずっと、とても淋《さび》しいけどふわふわして楽なところにいた。死はあんまり重いから、本当はそんなこと知らないはずの若い私たちはそうするしかなかったの。……今より後は、私といると苦しいことや面倒くさいことや汚いことも見てしまうかもしれないけれど、雄一さえもしよければ、二人してもっと大変で、もっと明るいところへ行こう。元気になってからでいいから、ゆっくり考えてみて。このまま、消えてしまわないで。」

雄一は箸《はし》を置き、まっすぐ私の目を見つめて言った。

「こんなカツ丼は生涯もう食うことはないだろう。……大変、おいしかった。」

「うん。」私は笑った。

「全体的に、情けなかったね。今度会う時は、もっと男らしい、力のあるところを見せてやるからな。」

雄一も笑った。

「目の前で、電話帳引き裂いてくれる？」

「そうそう、自転車持ち上げて投げたりな。」

「トラック押して壁にぶつけたりね。」

「それじゃあ、ただの乱暴者だ。」

雄一の笑顔はぴかぴか光り、私は自分が〝なにか〟をほんの数センチ押したかもしれないことを知る。

「じゃあ行くね。タクシーが逃げちゃう。」

私は言って、ドアに向かった。

「みかげ。」

雄一が呼び止める。

「ん？」

私が振り向くと、

「気をつけて。」

と雄一が言った。

私は笑って手を振り、今度は勝手にカギを開けて表玄関から出て、タクシーに向かってダッシュした。

宿に着いてふとんにもぐり込み、あまりの寒さに暖房をつけっぱなしで私はぐったりと眠り込んだ。

……廊下をぱたぱた走るスリッパの音や、旅館の人の声で、はっ、と目覚めたら、すっかり天気が変わっていた。

大きなサッシの窓の外はいちめん重い灰色の雲に覆《おお》われ、雪混じりの強い風が吹きあれていた。

私は、昨夜が夢に思えてならず、ぼんやりと立ち上がって明かりをつけた。窓の外にくっきり見える山々に、舞い踊る雪が粉を散らす。木がごうごうしなって揺れる。部屋の中は暑いくらいあたたまっていて、白く、明るい。

再びふとんにもぐり込み、私はずっと、その凍えそうに力強い雪模様を見つめていた。ほほがほてる。

えり子さんはもういない。

——その光景の中で、私は今度こそ本当に知る。雄一と私がどうであろうと、人生がどんなに長くて美しくても、彼女にはもう会えなくなってしまった。

寒そうに歩いてゆく川べりの人々、白くうっすらと車の屋根に積もりはじめる雪、右に左に、木々は首を振って、枯れた木の葉を散らし続ける。サッシの銀が冷たく光る。

やがて先生が、

「桜井さーん、起きてる？　雪よ、雪！」

とはしゃいで起こしにくる声が、ドアの向こうに響いた。

私は、はーい、と言って立ち上がった。着替えて、また現実の一日へスタートするのだ。くりかえし、くりかえしスタートする。

最終日は、下田のプチホテルのフランス料理の取材で、私たちスタッフは豪華な夕食で打ち上げをした。

みんな、なぜかすごく早寝の人ばかりなので、超夜型の私にはもの足りなくて、みんなが寝に部屋へ解散した後にひとりで目の前の浜へ散歩に行った。

コートを着込み、ストッキングも重ねたが叫びたいほど寒い。私は缶コーヒーを買って、ポケットに入れて歩いた。とても、あたたかい。

堤防の上に立って見る浜辺はぼんやりと白い闇《やみ》だった。海は真っ黒で、時折レースのふちどりがちらちら光った。

冷たい風が吹きすさび、頭がきーんとするような夜の中、浜へ続く暗い階段を降りていった。砂が、ひんやり、さくさくしていた。海に沿って、私は、缶コーヒーを飲みながらずっと歩いた。

闇に包まれて果てしない海や、大きな波音を響かせるごつごつした岩影の巨大なのを見ていたら、妙に哀《かな》しい、甘やかな気持ちになった。

きっとまだこれから、楽しいことも苦しいことも、いくらでもある。……たとえ、雄一がいなくても。

しんと、私は思っていた。

はるか遠くを灯台の明かりがまわっている。くるりとこちらを向き、また遠ざかり、波の上に光る道を作る。

うん、うんと納得して、私は鼻水をたらしながらホテルの部屋へ戻った。

部屋についている簡易ポットでお湯をわかしながら、熱いシャワーを浴びてすっかり着替えてベッドにすわっていたら電話が鳴った。取ると、フロントが言った。

「お電話が入っております。そのまま、お待ち下さい。」

窓の外、見降ろすホテルの庭、暗い芝、それから白い門。その向こうにはさっきまでいた冷たい浜辺があり、海が黒くうねっている。波音が届いてくる。

「もしもし。」雄一の声が飛び込む。「やっと発見した、苦労したぞ。」

「どこから、かけてるの?」

私は笑った。心が、ゆっくりとゆるみはじめる。

「東京。」

と、雄一が言った。

それはすべての答えだ、と私は感じた。

「今日ね、最終日だったの。明日、帰る。」

私は言った。

「うまいものたくさん食べた?」

「うん、さしみでしょ、えびでしょ、いのししの肉でしょ、今日はフランス料理。少し太っちゃった。あ、そういえば私、わさび漬とうなぎパイとお茶のぎっしり入った箱を宅配便で私の部屋へ送ったのよね。取りに行ってくれてもいいわよ。」

「どうして、えびやさしみじゃないんだよ。」

と雄一が言い、

「送りようがないからよ。」

と私は笑って言った。

「よし、明日駅まで迎えに行ってやるから、買って手で持ってきな。何時に着くって?」

雄一は明るく言った。

部屋はあたたかく、わいたお湯の蒸気が満ちてゆく。私は、到着の時刻やホームの、説明をはじめた。

ムーンライト・シャドウ

等はいつも小さな鈴をパス入れにつけて、肌身離さず持ち歩いていた。

それはまだ恋でなかった頃に私が本当になんの気なしにあげたものだったのに、彼のそばを最後まで離れない運命となった。

高校二年の修学旅行で、別々のクラスだった彼と私は同じ旅行委員として知り合った。旅行本番ではクラスごとに全く逆のコースをたどることになっていたので、行きの新幹線だけが同じだった。ホームで二人はふざけながら別れを惜しんで握手をした。私はその時家の猫から落ちた鈴が制服のポケットに入っていたことをふと思い出して、せんべつ、と言って渡した。彼はなにこれ、と笑いはしたが決して無造作にではなく、大切そうに手のひらからハンカチに包んだ。その年頃の男の子にはあまりにも不似合いな行動なので、私はとてもびっくりした。

恋なんて、そんなものだ。

それが私にもらったから特別だったとしても、彼の育ちがよくて人からもらったものをずさんに扱えないということにしても、咄嗟《とっさ》にそうしたその感じに私はとても好意を持った。

そして、鈴は心を通わせた。会えない旅の間ずっと、お互いに鈴のことを気にかけていた。彼は鈴が鳴る度私と、私がいた旅行前の日々をなんとなく思い出し、私は遠い空の下で鳴る鈴のことと、鈴といる人のことを想《おも》って過ごした。戻ってからは大恋愛がはじまった。

それからおおよそ四年の間、あらゆる昼と夜、あらゆる出来事をその鈴は私たちと共に過ごした。初めてのキス、大げんか、晴れや雨や雪、初めての夜、あらゆる笑いと涙、好きだった音楽やTV——二人でいたすべての時間を共有して、等が財布がわりのそのパス入れを出す手と一緒に、いつもちりちりとかすかな澄んだ音が聞こえた。耳を離れない、愛しい、愛しい音だ。

そんな気がしたなんて、後からいくらでも言える乙女の感傷だ。しかし私は言う。そんな気がしました。

いつも心から不思議に思っていた。等は時折どんなにじっと見つめていてもそこにいない気がした。眠っていても、私はどうしてか何度も心臓に耳をあてずにはいられなかった。笑顔があまりにもぱっと輝くと思わず瞳《ひとみ》をこらして見てしまった。彼はいつもその雰囲気や表情にある種の透明感を持っていた。だから、こんなにはかなく心もとなく感じるのだろうと私はずっと思っていたが、もしそれが予感だったとしたらなんと切ないことであろうか。

恋人を亡《な》くしたのは長い人生、と言っても二十年やそこらだが、のうちで初めての体験で私は息の根が止まるかと思うくらい苦しんだ。彼が死んだ夜から私の心は別空間に移行してしまい、どうしても戻ってこれない。昔のような視点で、どうしても世界を見ることができない。頭が不安定に浮き沈みして、落ち着かずにぼんやりいつも重苦しい。人によっては一生に一度もしなくていいこと（ex.中絶、水商売、大病など）のひとつにこうして参加してしまったことを、ただ残念に思う。

そりゃあ、まだ私たちは若かったし、人生最後の恋ではなかったかもしれない。それでも私たちは二人の間に生まれて初めてのいろいろなドラマを見た。人と人が深く関わり合って見えてくる、様々な出来事の重みを確かめながら、ひとつひとつ知りながら四年間を築いた。

後からなら大声でだって言える。

神様のバカヤロウ。私は、私は等を死ぬほど愛していました。

等が死んでから二カ月、私は毎朝その川にかかる橋の欄干にもたれて熱いお茶を飲んだ。あまり眠れないので夜明けのジョギングをはじめ、そこがちょうど折り返し点だったからだ。

夜眠ることがなによりこわかった。というよりは、目覚める時のショックがものすごかった。はっと目覚めて自分の本当にいる所がわかる時の深い闇《やみ》におびえた。私はいつも等に関係のある夢を見た。苦しくて浅い眠りの中で、等に会えたり会えなかったりしながら、いつもこれは夢で本当のところはもう二度と会えはしないことを知っていた。だから、眠りの中でも目を覚ますまいと努力した。寝返りと冷汗をくりかえして、吐きそうな憂鬱《ゆううつ》の中でぼんやりと目を開ける寒い夜明けを幾度迎えただろう。カーテンの向こうが明るくなり、青白い、しんと息づいた時間の中に私は放り出される。こんなことなら夢の中にいればよかったと思うくらい淋《さび》しく寒い。もう決して眠れずに夢の余韻に苦しむひとりきりの夜明けだ。いつも、その頃に目が覚めるのだ。ろくに眠っていない疲れと、朝一番の光を待つ長い狂気のような孤独の時間に恐怖をおぼえはじめた私は、走ることに決めた。

高いスウェットスーツを二着そろえ、シューズを買い、飲み物を入れるアルミの小さな水筒まで買った。ものから入門するところが情けない気もするが、前向きなのはいいと思った。

春休みに入ってすぐ、私は走りはじめた。橋まで行って、家に戻ってくると、タオルや衣類をきちんと洗い、乾燥機にかけて、それから朝食を作る母を手伝った。そして少し眠る。そういう生活を続けた。夜は、友達に会ったり、ビデオを観《み》たりして、なるべくいたずらにひまな時間を作らないように必死で努力した。それはそれは不毛な努力だ。本当はしたいことなんて、なにひとつありはしなかった。等に会いたかった。しかし、私はどうしてもなにか手や体や心を動かし続けなくてはいけない気がした。そして、この努力を無心に続ければいつかはなにか突破口につながると思いたかった。保証はなにもないが、それまではなんとか持ちこたえようと信じた。犬が死んだ時も、小鳥が死んだ時も、だいたいこんなふうに持ちこたえた。そしてこれはその特番なのだ。なんの展望もなくじりじりと枯れてゆくように日々は過ぎてゆく。私は祈るように思い続けた。大丈夫、大丈夫、いつかはここを抜ける日がやってくる。

折り返し点の川は、街をだいたい二つに分けている大きな川だ。白い橋がかかっているその場所まで二十分くらいかかった。私はその場所が好きだった。川向こうに住む等といつも待ち合わせをしたのもそこだったし、彼が死んでからも私はそこが好きだった。誰もいない橋の所で、川音に包まれて水筒の中の熱いお茶をゆっくり飲んで休んだ。白い土手がどこまでもぼんやりと続き、青い夜明けのもやで街の景色にかすみがかかる。澄んでぴりぴりと冷たい空気の中でそうして立っていると、自分がほんの少し「死」に近い所にいるように思えた。実際、そのきびしく透明なひどく淋しい光景の中でだけ、今の私は楽に呼吸ができた。自虐《じぎやく》。ではない。なぜなら、その時間がないと私はどうしてかその後のその日一日をうまくやれる自信が全く持てなかったからだ。かなり切実に、今の私にはその光景が必要だった。

その朝もなにか悪質な夢を見て、はっと目を覚ました。五時半だった。晴れそうな夜明けに私はいつものように着替えて外へ走り出した。まだ暗く、誰も人がいない。空気がしんと冷えて、街がぼんやりと白かった。空は濃い群青《ぐんじょう》で、東に向かってゆるやかに赤いグラデーションになってゆく。

私は快活に走ろうとつとめた。息が苦しくなると時折、ろくに眠らずにこんなに走るのは自分の体をいじめているだけだという考えが浮かんだが、帰れば眠れるから、とぼんやりした頭で打ち消した。あまりにも静まり返った街を抜けてゆく時、意識をはっきり保つのはむつかしかった。

川音が近づき、空が刻々と変化してゆく。青く透ける空を通して、美しく晴れた一日がやってくる。

私は橋にたどり着くといつものように欄干にもたれて、ぼんやりと青い空気の底に沈む淡くかすんだ街並みを見ていた。ざあざあと力強く川音が響き、なにもかもを白く泡立てて押し流してゆく。汗がすうっと引いて、顔に冷たい川風が吹いてくる。まだまだ寒い三月の中空に半月が冴《さ》えて映る。息が白い。私は川を見たまま水筒のふたにお茶をそそいで飲もうとした。

その時、

「なに茶？　あたしも飲みたい。」

とふいにうしろで声がして、私はびっくりした。あまりびっくりしたので、川に水筒の本体を落としてしまったほどだ。手元にはふたに入った湯気の立つお茶が一杯残った。いろいろなことを思いながら振り向くと、笑顔の女性が立っていた。自分よりも歳上《としうえ》だということはわかったが、なぜだか歳は見当もつかなかった。しいていえば二十五くらい……短い髪にとても澄んだ大きい瞳をしていた。薄着に白いコートをはおり、少しも寒さを感じないようにさりげなく、本当にいつの間にか彼女はそこに立っていた。

そして少し甘い鼻声で嬉《うれ》しそうに、

「今の、グリムだっけ、イソップだっけ。犬の話によく似てたね。」

と笑いながら言った。

「あの場合は。」私は淡々と言った。「水に映った自分を見て骨を離したんでしょ。加害者はいなかったよ。」

彼女はほほえんで、

「じゃあ今度水筒買ってあげるわ。」

と言った。

「どうも。」

と私は笑ってみせた。あまり平然と彼女が言うので、私は怒れなかったし、自分までなんていうことのないことだと思えてしまった。それに、彼女は少し気の変な人や、家路についた夜明けの酔っぱらいとは空気を異にしていた。あまりにも彼女は知的で冴えた瞳をしていて、まるでこの世の悲しみも喜びもすべてのみ込んだ後のような深い深い表情を持っていた。そのために、しんと張りつめた空気が彼女と共にあった。

私は持っていたお茶をひと口だけ飲んでのどをうるおすと、

「はい、後あげる。プーアール茶。」

と差し出した。

「あ、それ大好き。」

と彼女はか細い手でふたを受けとった。

「今、ここに着いたばかり。結構遠くから来たの。」

旅人特有のきらきら高揚した瞳で彼女は言って、川面《かわも》を見つめた。

「観光？」

こんななにひとつない所になにをしに来たんだろうと思って私はそうたずねた。

「うん。知ってる？　もうすぐここで百年に一度の見ものがあるのよ。」

彼女は言った。

「見もの？」

「うん。条件がそろえばね。」

「どんなこと？」

「まだ秘密。でも必ず教える。お茶をくれたから。」

そう言って彼女が笑うので、私はなんとなくその先を聞きそびれてしまった。朝が近づいてくる気配が世界中を満たす。光が空の青に溶けて、かすかな輝きが空気の層を白く照らす。

私はそろそろ帰ろうと思い「じゃあ。」と言った。すると、彼女は明るい瞳でまっすぐ私を見て、

「あたしは、うらら。あなたは？」

と言った。

「さつき。」

と私も名乗った。

「近々、また会いましょう。」

――うららは――そう言って手を振った。

私も手を振り、橋を後にした。彼女は、妙だった。彼女の言っていることはさっぱりわからなかったが、どうも普通に暮らしている人間ではないように思えた。走る足を進

めるごとに疑問が深まって、なんだか不安になり振り向くと、うららはまだ橋の所にいた。横顔で川を見ていた。私は、驚いた。彼女が私の前にいた時とは別人の顔をしていたからだ。私は人間のそれほどきびしい表情を見たことがなかった。

立ち止まった私に気づくと、彼女はまたほほえんで手を振った。私もあわてて手を振り走り出した。

――いったい、どういう人なんだろう。としばらく私は考えた。いよいよ眠い頭の中にうららというその不思議な女性の印象だけが陽ざしの中でまぶしくふちどられて刻まれた朝だった。

等には、すごく変わった弟がいた。その考え方も、物事に対応する方法も、少しずつ妙だった。まるで異次元で育てられて物心ついたからとぽん、とここに放り出されたその場所で生きてゆきます、というような生き方だと私は初めて会った時からずっと思っている。名を、柊《ひいらぎ》という。亡き等の実の弟で、今月で十八になった。

待ち合わせたデパートの四階の喫茶店に、学校帰りの柊は、セーラー服でやってきた。私は本当はとても恥ずかしかったが、彼があまり普通に店に入ってきたので平静を装《よそお》った。私の向かいにすわると、「待った？」と息をついて言い、私が首を振ると、明

る く笑った。彼が注文すると、ウェイトレスは彼をじっと、じっと上から下まで見て不思議そうにはい、と言った。

顔はあまり似ていなかったが、柊の手の指とか、ちょっとした時の表情の動かし方とかは、よく私の心臓を止めそうになった。

「うっ。」と私は、そういう時、わざと声に出して言った。

「なに？」

とカップを片手に柊が私を見る。

「に、似ている。」

と私は言う。そうするといつも彼は〝等のマネ〟と言って等のマネをした。そして二人で笑った。そうして二人は心の傷を茶化して遊ぶことくらいしか、なすすべがなかった。

私は恋人を亡くしたが、彼は兄と恋人をいっぺんに亡くしてしまったのだ。

彼の恋人はゆみこさんと言って、彼と同い歳の、テニスが上手な、背の小さい美人だった。歳が近いので四人は仲良くなり、よく一緒に遊びに行ったものだ。等の家に遊びに行くと、柊の所にゆみこさんがいて、四人で徹夜でゲームをしたことも数え切れない。

その夜、等は柊の所に来ていたゆみこさんを、出かけるついでに車で駅まで乗せてゆく途中で事故にあった。彼には非はなかった。

それでも、二人共あっさりと即死してしまった。


「ジョギングやってるかい?」

柊が言った。

「うん。」

私は言った。

「そのわりには、お太りになったね。」

「ごろごろしてるから、昼は。」

私は思わず笑った。実際は、人が見てはっきりとわかるくらいに私はやせはじめていた。

「スポーツしてれば健康ってもんじゃない。そうだ。ものすごくおいしいかきあげ丼《どん》の店が突然近所にできたんだ。カロリーもある。食べに行こう。今、今すぐに。」

彼は言った。等と柊は性格も全然違ったが、それでも育ちのよさからくるこういう、てらいも下心もない親切さをどちらも自然に身につけていた。まるで、鈴をそっとハンカチに包むような親切さだった。

「うん、いいね。」

私は言った。

柊の今着ているセーラー服は、ゆみこさんの形見だ。彼女が死んでから、私服の高校だというのに彼はそれを着て登校している。ゆみこさんは、制服が好きだった。双方の親が、そんなことをしてもゆみこさんは喜ばないと、スカート男を泣いて止めた。しかし柊は笑って、とりあわなかった。私がそれは感傷で着てるの？　とその時たずねたら、そんなんじゃない。死人は戻らないし、モノはモノだと言った。でも、気持ちがしゃんとするんだ。と。

「柊は、いつまでそれを着てるの？」

とたずねたら、

「わかんない。」

と言って、少し暗い顔をした。

「みんな、変なこと言わない？　学校で、悪いうわさ立たない？」

「いや、それがワタシね。」彼は言った。彼は昔から自分のことをワタシと言うのだ。

「同情票がすごくて、女の子にもててもてて。やはりスカートをはくと、女の気持ちがわかる気がするからだろうか。」

「そりゃあ、よかったね。」

私は笑った。ガラスの向こうのフロアーでは楽しそうな買い物客がにぎわって通ってゆく。春の服が明るく照らされて並ぶ夕方のデパートはすべてが幸福そうだ。

今は、よくわかる。彼のセーラー服は私のジョギングだ。全く同じ役割なのだ。私は彼ほど変わり者でないので、ジョギングで充分だっただけのことだと思う。彼はそのくらいでは全くインパクトに欠けて自分を支えるにはもの足りないのでバリエーションとしてセーラー服を選んだ。どちらもしぼんだ心にはりを持たせる手段にすぎない。気をまぎらわせて時間をかせいでいるのだ。

私も柊もこの二カ月で、今までしたことのない表情をするようになった。それは失ってしまったものを考えまいと戦う表情だった。ふっと思い出して突然に孤独が押してくる闇《やみ》の中に立っていると知らず知らずのうちにそういう顔になってしまうのだ。

「夕食を外にするなら、家に電話するわ。ああ、柊は？　家で食べなくていいの？」

私が立とうとすると柊が、

「ああ、そうだ。今日は父親が出張だったんだ。」

と言った。

「お母さんひとり。じゃ、帰ってあげれば。」

「いや、一個だけ家に出前してもらえばいいや。まだ早いから、なにも作ってないだろう。お金払っといて、唐突に晩めしは息子のおごり。」

「なかなか、かわいい企画ね。」と言うと、

「元気が出そうだよね。」

嬉しそうに柊は笑った。こういう時、ふだん大人びたこの少年が歳《とし》相応の顔をする。

いつか冬の日、等が言った。

「弟がいるんだけどさ、柊っていうんだ。」

彼に弟の話を聞いたのはそれが初めてだった。今にも雪になりそうな、どんより重いグレーの空の下、二人は学校の裏手にある長い石段を降りていった。コートのポケットに手を入れて、白い息で等は言った。

「俺よりもなんだか大人なの。」

「大人なの？」

私は笑った。

「なんか、肝がすわってるっていうかね。それでも家族のこととなると妙に子供なのがおかしくてね。昨日、父親《おやじ》がちょっとガラスで手を切ったら、本気でおろおろしてさ、そのおろおろ仕方がすごいんだ。天と地がひっくり返ったみたいで。あんまり意外だったから、今、思い出してた。」

「いくつなの？」

「えーと、十五かな。」

「等に似てる？　会ってみたいな。」

「でも、あんまりにもあいつ変わってるからなあ。兄弟とは思えないくらい。会ったら、なんか俺まで嫌われそう。うん、あいつは変だよ。」

兄らしい、とても兄らしい笑顔で等が言った。

「じゃあ、弟が変、くらいで愛がゆるがないくらいの年月がたってからなら会わせてくれる？」

「いや、冗談。大丈夫だ。きっと仲良くなれる。君も変なところあるし、柊は善人には敏感だから。」

「善人？」

「そうそう。」

横顔のまま等は笑った。そういう時はいつも照れていた。

階段はとても急で、なんだかあわてて足が進んだ。白い校舎の窓ガラスに暮れはじめた真冬の空が、透明に映っていた。一段一段をふんでゆく黒い靴とハイソックス、自分の制服のスカートのすそをおぼえている。

外は春の匂《にお》いに満ちた夜が訪れていた。

柊のセーラー服がコートでかくれたので、私は少しほっとした。デパートの窓明かりが歩道を明るく照らし、とぎれなくゆきかう人々の顔も白く輝いて見える。風は甘い香りがして、春めいているのにまだまだ冷たく、私はポケットから手袋をとり出した。

「その天ぷら屋、ワタシんちのすぐそばだから、少し歩くよ。」

と柊が言った。

「橋を渡ってゆくのね。」

と言って、私は少し沈黙した。橋の所で会った、うららという人のことを思い出したのだ。あれからも毎朝行くが、会わない。……とぼんやり思っているとふいに柊が、

「あっ、もちろん帰りは送るぞ。」

と大声で言った。私の沈黙を、遠くへ行く面倒さと解釈したらしかった。

「とんでもない。まだ早いもの。」

とあわてて言いながら、今度は心の中だけで、〝に、似ている〟と私は思っていた。マネをしてくれる必要がないくらい、今のは等に似ていた。人との間にとったスタンスを決して崩さないくせに、反射的に親切が口をついて出るこの冷たさと素直さに、私はいつでも透明な気持ちになった。それは透んだ感激だった。その感じを私は今、生々しく思い出してしまった。なつかしかった。苦しかった。

「この間、走ってて朝、橋の所に変な人がいてね。そのことを思い出してただけよ。」

歩き出しながら私は言った。

「変な人って、男かい?」柊は笑った。「早朝ジョギングは恐ろしい。」

「ううん、そんなんじゃない。女の人。なんだか忘れがたい女の人だよ。」

「ふうん……また会えるといいね。」

「うん。」

そう、私はなぜかうららにすごく会いたかった。一回しか会ったことのない人なのに会いたかった。あんな表情——私はあの時、心臓が止まりそうになった。さっきまで柔らかに笑っていたくせにひとりになって彼女は、たとえるなら〝人間に化けた悪魔がふと、これ以上なににも気を許してはいけないと自分をいましめるような〟表情をした。あれはちょっと忘れがたい。私のこの苦しみも哀《かな》しみもあれには全然至らない、そんな気がした。もしかしたら私にはまだまだやれることがあるような気にさせる。


街を抜ける大きな交差点の所で、私も柊もほんの少し気づまりを感じる。そこは、等とゆみこさんの事故の現場だった。今も、激しく車がゆきかっている。赤信号で、柊と私は並んで立ち止まった。

「地縛霊はいないのかな。」

柊が笑って言ったが目は決して笑っていなかった。

「言うと思った。」

私も笑ってみせた。

ライトの色が交差し、光の河が曲がってくる。信号が闇に明るく浮かぶ。ここで、等が死んだ。ひそやかに厳粛な気持ちが訪れる。愛する者の死んだ場所は未来永劫《えいごう》時間が止まる。もし、同じ位置に立てたなら、その苦しみも伝わるといいと人は祈る。よく観光で城なんかに行き、何年前、ここを誰々が歩いたのです、体で感じる歴史です。とか言うのを聞く度に、なに言ってんだと思ったものだが、今は違う。わかる気がする。

この交差点、このビルや店の並びが浮かぶ夜の色彩が等の最後の景色だ。そしてそれはそんなに遠い昔ではない。

どんなに、こわい思いをしたか。ちらっとでも私を思い出しただろうか。……今みたいに月が上空に昇ってくるところだったろうか。

「青だ。」

柊が私の肩を押すまで、私はぼんやりと月を見ていた。まるで真珠のようにひんやりと白く小さい光があんまりにもきれいだったのだ。

「異様においしい。」

私は言った。その小さく新しい、木の匂いのする店でカウンターにすわって食べたかきあげ丼は、食欲を思い出すくらいにおいしかった。

「なー？」

柊が言った。

「うん。おいしい。生きててよかったと思うくらいおいしい。」

私は言った。あんまりほめたので、店の人がカウンターの向こうで恥ずかしそうにするくらい、おいしかった。

「そうだろ！　さつきは絶対そう言うと思ったんだ。君の食べ物の趣味は正しい。喜んでくれて本当に嬉《うれ》しい。」

ひと息にそう言って笑ってから、彼は母親の所への出前を頼みに行った。

私はしつこい性格だし、まだまだこの暗さに足をひっぱられながら生きていかなくてはいけないのは仕方ないが――と私はかきあげ丼を前にして思っていた。この子は一日も早く、セーラー服を着てなくても今みたいに笑えるようになってほしいと。


真昼。突然その電話はかかってきた。

私は風邪をひいてしまい、ジョギングも休んでうつらうつらしてベッドにいた。少し熱っぽい頭の中にベルの音が何度も何度も割り込んできて私はぼんやりと起き上がった。家人は誰もいないらしく、仕方なく私は廊下に出て受話器を取った。

「はい。」

「もしもし。さつきさんはいますか。」

聞き慣れない、女性の声が私の名を呼んだ。

「はい？　私ですが。」

首をかしげて私は言った。

「ああ、あたしです。」受話器の向こうでその人は言った。「うららです。」

私はびっくりした。この人はいつも私をものすごく驚かせる。電話がかかってくるはずはなかった。

「突然ですけど、今ひまかしら。出てこれないかな。」

「ええ……いいですけど。どうして？　どうしてうちがわかったの？」

私はおろおろした声で言った。電話の向こうは外らしく、車の音が聞こえる。彼女がふふ、と笑うのがわかった。

「どうしても知りたいな、と思うと自然にわかるようになってるの。」

と呪文《じゅもん》のようにうららは言った。それもそうか、と私が思うくらいあたりまえそうに言った。

「じゃあ、駅前百貨店の五階の、水筒売場の所でね。」

そう言って電話は切れた。

普通なら絶対に外へは出ないで寝ている、というくらいに体調は悪かった。切ってからしまった、と私は思った。足がなんとなくふらついていたし、熱も上がりそうな感じだったからだ。それでも、会ってみたい好奇心にかられて私は仕度をはじめた。まるで心の奥底で本能の光がまたたいて、行けと言ったように迷わなかった。

後から思えば、運命はその時一段もはずせないハシゴだった。どの場面をはずしても登り切ることはできない。そして、はずすことのほうがよほどたやすかった。多分それでも私を動かしていたのは、死にかけた心の中にある小さな光だった。そんなものはないほうがよく眠れると私が思っていた闇《やみ》の中の輝きだった。

厚着をして自転車に乗っていった。春が本当に来ると思わせる、あたたかい光に包まれた真昼だった。生まれたばかりの風が顔に吹いてきて心地良かった。街路樹もかすかに幼いみどりの葉をつけはじめていた。空の淡いブルーがうっすらとかすんで、はるか街の向こうへと続いていた。

そのあまりのみずみずしさに、私は自分の内側がかさかさしていることを感じずにはいられなかった。私の心にどうしても春の風景は入ってこない。シャボン玉のようにくるくると表面に映るだけだ。人々はみな髪を光にすかして幸福そうにすれ違ってゆく。すべては息づいて、柔らかな陽ざしに守られながら輝きを増してゆく。生命にあふれ出すきれいな光景の中で、私の心は冬枯れの街や、夜明けの川原を恋しく思う。このまま、こわれてしまいたいと思う。

並ぶ水筒を背にして、うららは立っていた。ピンクのセーターを着て背すじをしゃんと伸ばし、人混みの中にそうしていると、同い歳《どし》くらいに見えた。

「こんにちはー。」

と私が近づいてゆくと、

「あら、風邪？」と彼女は目を丸くして言った。「ごめんね。知らずに呼び出して。」

「顔が風邪ひいてるかな。」

私は笑った。

「うん。真っ赤。じゃあ急いで選んで。どれでもお好みのものを。」水筒のほうに向き直って彼女は言った。「そうねえ、やっぱり魔法ビンのがいい？　それとも持って走ることにポイントを置いて軽いのにしようか。これは、この間落っことしたのと同じ奴《やつ》。ああ、デザインだけだったら、中国物産売り場に行って、中国の買おうか。」

あんまり熱心にそう言うので、私は嬉しくて自分でもわかるくらい本当に赤くなってしまった。

「じゃ、その白いの。」

私はつやつや光る、小さな白い魔法ビンを指した。

「うん。お客さんお目が高いねえ。」

そう言って、うららはそれを買ってくれた。


屋上の近くにある小さな店で紅茶を飲みながら、

「これも持ってきた。」

と言って彼女はコートのポケットから小さな包みを出した。いくつもいくつも出すので私がきょとんとしていると、

「お茶の店をやってる人に分けてもらってきた。ハーブ茶各種、紅茶各種、中国茶も。名前は包みに書いてあるから、楽しんで水筒に入れて。」

「……どうもありがとう。」

私は、言った。

「いいえ、大切な水筒を川に流してしまったのはあたしです。」

うららは笑った。

よく晴れて見通しのいい午後だった。光がもの哀しいくらい鮮やかに街を照らしている。雲の影が街を光と影に分けてゆっくりと動く。平和な午後だ。鼻がつまってなにを飲んでるのか今ひとつわからない以外は、なにも問題はないかのように思えてしまうく

らい、おだやかな気候だ。

「ところで。」私は言った。「本当はどうやって番号がわかったの？」

「いや、本当。」ほほえんで彼女は言った。「長いこと、いろんな所を転々としてひとりで暮らしていると、感覚のどこかがけものみたいに冴《さ》えてくるのよ。いつ頃から、そういうことができるようになったのかはよくおぼえてないけど。……えーと、さつきさんの番号は？と思うとね、ダイヤルを回す時にはもう自然と手が動いて、おおかた合ってるのよ。」

「おおかた？」

と私は笑った。

「そう、おおかた。間違ってた時は、すいませんって笑って切る。それでひとり、照れるの。」

そう言ってうららは、嬉しそうに笑った。

私は、電話番号を調べる方法なんかいくらでもあるということより、淡々と語る彼女のほうを信じたかった。彼女は人をそういう気にさせた。私は、自分の心の中にあるどこかがずっと昔から彼女と知り合いで、再会をなつかしみ喜んで泣いているように思えた。

「でも、今日はありがとう。愛人のようで嬉しかったわ。」

私は言った。

「じゃあ、愛人にお教えする。まず、あさってまでにその風邪を治すことよ。」

「どうして？　ああ、見ものっていうのが、あさってなの？」

「ずばり。いい？　他の人に言っちゃだめだよ。」ほんの少しうららが声をひそめた。「あさって、朝の五時三分前までにこの間の場所に来ると、もしかしたらなにかが見えるかもしれない。」

「なにかってなに？　どういうもの？　見えないこともあるの？」

私は疑問の洪水を投げかけることしかできなかった。

「うん。天候にもよるし、あなたのコンディションにもよる。とても微妙なものだから保証はできない。でも、あたしのただのカンだけれど、あの川とあなたは関係が深い。だから、きっとあなたには見える。あさってのその時刻は、本当に百年に一回くらいにいろいろな条件が重なって、あの場所である種のかげろうが見えるかもしれない時間なの。ごめんね。かもしれない、ばっかりで。」

その説明もよくはわからず、私は首をかしげた。それでも私は久しぶりになんだかわくわくした気持ちをおぼえた。

「それっていいこと？」

「うーん……貴重ではあるけれど。そうね、あなた次第。」

とうらは言った。

わたし次第。

今の、こんなに縮こまって、自分を守ることで精一杯の――

「うん、きっと行く。」

私は笑った。

川と私の関係。私は、どきりとしながらも即座にイエース、と思った。私にとってあの川は、等と私の国境だった。あの橋をイメージすると等がそこに立って待っているのも見える。いつも私は遅れ、いつも彼はそこにいた。出かけた帰りもいつも、二人はそこで川向こうとこっちに別れた。最後もそうだった。

「これから、高橋くんの所に行くんでしょう？」

まだ幸福で、今よりころころ太っていた私と等との、それは最後の会話だった。

「うん、一度家に帰ってから。みんなで久々に集まるんだ。」

「よろしくね。でも、どうせ男ばっかりでやらしい話するんでしょう。」

私が言うと、

「そうだよー。悪いか？」

と彼は笑った。

一日中遊びほうけて、ほろ酔いで、私たちは全くはしゃいで歩いていた。しんしんと冷える冬の夜道は豪華な星空にいろどられ、私は晴れやかな気分だった。ほほにぴりぴりと風がしみて、星がまたたく。ポケットの中でつないだ手のひらはいつもあたたかく、ぱさぱさした感触だった。

「あ、でも君のことは絶対、変なふうにゆわないから。」

思い出したように等がそう言ったのがおかしく、私は自分のマフラーに顔を埋めて笑いをこらえた。四年もいて、こんなに好きだなんて不思議なこともあるものだと私はその時思っていた。その私を、今の私は十歳も歳下に感じる。かすかに川音が聞こえてきて別れが淋《さび》しかった。

そして橋。橋が二度と会えない別れの場所となった。水がものすごい音で寒そうに流れて、川風が目を覚ますような冷たさで吹きつけた。鮮やかな川音と満天の星の中で短いキスを交わして、楽しかった冬休みを思いながら二人は笑顔で別れた。夜の中を、ちりちりと鈴の音が遠ざかっていった。私も等もやさしかった。

二人はひどいけんかもしたし、小さな浮気もした。欲と愛のバランスに苦しんだこともあったし、幼いからお互いを傷つけたことも多々あった。だからいつもそんなに幸せで仕方ないわけではない、結構手間のかかる年月だった。それでもいい四年だった。そして中でも、それは終わるのがこわいくらい完璧《かんぺき》な一日だった。冬の美しく澄んだ大気の中の、すべてがあまりにも美しくやさしい一日のその余韻のように、振り向いた等の黒いジャケットが闇に溶けてゆくさまをおぼえている。

この場面は泣きながら何度もリバースした場面だ。いや、思い出す度に涙が出てしまった。橋を渡り、追いかけていって行ってはだめだと連れ戻す夢も何度も、何度も見た。夢の中で等は、君が止めてくれたから死なずにすんだよ、と笑った。

真昼にこうしてふと思い出しても、泣かずにいられるようになったことが、妙にむなしい。果てしなく遠い彼が、ますます遠くへ行ってしまうように思える。

その、川で見えるかもしれないなにかを半分冗談にして、半分期待して、うららと別れた。うららは、にこにこして街なかに消えていった。

もしも彼女が変なうそつきで、わくわくして朝早くに走っていった私がばかをみても私はかまわないと思った。彼女は私の心に虹《にじ》を見せた。思いもよらないことを考えるときめきを思い出して、私の心には風が入ってきたのだから。もしなにもなくても、多分二人で並んで冷たい川の流れがきらきら輝くのを朝見ていたら気分がいいだろう。それでいい。

水筒を抱えて歩きながら、私はそう思っていた。自転車をとりに行こうと思い、駅を抜ける途中で柊を見かけた。

大学生の春休みと、高校生の春休みが違うのは明白である。この真昼に私服で街なかにいるというのはつまり学校を休んでいるのだろう。私は笑った。

走り寄って声をかけるのはなんのためらいもなくできることだったが、私は熱のせいでなにもかもが面倒くさかったため、歩いていたそのままのテンポで彼のほうへ歩いていった。すると、ちょうど彼もそっちへ歩き出してしまったので、全く自然に私は彼をつけて街を歩いていく形になってしまった。彼の足が早くて、走りたくない私はなかなか追いつけなかった。

柊を観察した。私服だと、彼はちょっと人が振り向くようなかっこいい男の子だった。黒いセーターで、堂々と歩いていく。背も高いし、手足も長い。身軽で冴えている。確かに、恋人を亡くしたこんな彼が、突然、セーラー服で登校して、それが彼女の形見だと知ったら女の子はほっておかない。と、歩いていく後ろ姿を見ながら私は思っていた。兄と恋人を一度に亡くすことはそうあることではない。非日常の極致だ。私も、もしひまな高校生だったら彼を自力で更生させたいと思って愛してしまうかもしれない。うんと若い時、女の子はそういうのがなにより好きだから。

彼は、声をかければ笑顔になる。私はそれを知っていた。それでも、ひとりで街をゆく彼に声をかけるのはなんだか悪い気がしたし、他人にできることはなにひとつない気もした。私はひどく疲れていたのかもしれない。なにもまっすぐに心に入ってこなかった。思い出が思い出としてちゃんと見えるところまで、一日も早く逃げ切りたかった。でも、走っても走ってもその道のりは遠く、先のことを考えるとぞっとするくらい淋しかった。

その時、柊がふと立ち止まったので、私もつい立ち止まってしまった。これでは本当に尾行だわと笑いながら私はいよいよ声をかけようと歩き——柊が立ち止まって見ているものに気づいてはっと足を止めた。

彼はテニスショップのウィンドウを見つめていた。本当になんの気なしに眺めていることがその、淡々とした表情でよくわかった。しかし、思い入れがない分、その行為の深さが伝わってきた。すり込みみたい、と私は思った。子アヒルが初めて動いたものを母と思い込んでついて歩く姿は、子アヒルにとってはなんでもなくても見る者の胸を打つ。

こんなに打つ。

春の光の中、人混みにまぎれてじっと、じっと彼は無心にウィンドウを見ていた。テニスのもののそばにいると、彼は多分なつかしい気持ちになれるのだろう。私が柊といる時だけ、等の面影の分、落ち着くのと同じに。それは悲しいことだと思う。

私も、ゆみこさんのテニスの試合を見たことがあった。彼女を初めて紹介された時、確かにかわいいが、あまりにも明るくおだやかな普通の人に見えて、あの変人である柊が彼女のどこに特別惹《ひ》かれたのか見当もつかなかった。柊は、ゆみこさんに夢中だったのだ。表面的にはいつもの柊だが、彼女の中のなにかが柊を押さえていた。実力が伯仲していた。それはなんだろうと私は等にたずねた。

「テニスだって。」

と等は笑った。

「テニス？」

「うん。柊の話ではテニスがすげえって。」

夏だった。じりじりと陽が照りつける高校のテニスコートで、私と等と柊でゆみこさんの決勝戦を見た。影が濃く、のどが渇いた。なにもかもがまぶしい頃のことだ。

確かに、すごかった。彼女は別人だった。私の後をさつきさんさつきさんと笑ってついてくる彼女とは別人だった。私はびっくりして試合を見ていた。等も驚いたようだった。柊は「ね。すごいでしょ。」と自慢げに言った。

彼女は迫力と集中力でぐいぐい押してゆき、うむを言わさずたたきつける力強いテニスをした。そして、実際に強かった。顔も真剣だった。人を殺しそうな顔をしていた。それでも最後のショットを決めて、勝った瞬間にまっさきに柊を振り向いた時の幼い笑顔はもういつもの彼女だったのが印象的だった。

私は四人でいることもとても楽しくて好きだった。ゆみこさんはよく、さつきさんいつまでも一緒に遊ぼうね、絶対別れちゃだめだよ、と言った。あなたたちはどうなのと私がからかうと、そりゃあもう、と笑った。

そしてこれだもの。あんまりだと思う。

彼は今、私のようには彼女のことを思い出していないと思う。男の子は自分がわざとつらくなることはしない。しかし、その分だけかえって彼の全身が瞳《ひとみ》がひとつの言葉を語っていた。彼は決して言葉にはしないだろう。しかし、それはもしも言うならつらい言葉だった。すごくつらい。それは、

——戻ってきてほしい——だ。

言葉というよりは、祈りだった。私はやり切れない。夜明けの川原でもしかして私もあんなふうに見えるのだろうか。だから、うららは私に声をかけたのだろうか。私も。——私も、会いたい。等に。戻ってきて、ほしいと思う。せめて、ちゃんとお別れを言いたかった。

私は今日見かけたことを言わないことと、明るく接することを次回に誓って、その場は声をかけずにそのまま帰った。

熱は景気よく上がった。あたりまえだと思った。ただでさえ具合が悪いのに、街をいつまでもふらふらしていたら、そうなるのは当然と言えよう。

母親は、それは知恵熱じゃないかと笑っていた。私も力なく笑った。私も、そう思う。考えても仕方のない思考の毒が体中にまわったのかもしれなかった。

そして夜は、いつものように等の夢を見て目覚めた。熱をおして走って川原へ行くと、等が立っていて、なにやってんの風邪なのに、と笑う夢だった。最低だった。目を開けると夜明けで、いつもなら起き出して着替える頃だった。寒く、ただ寒く、体中がほてっているのに手足はしんしん冷えていた。悪寒《おかん》が走り、ぞくぞくして体中が痛んだ。私はふるえながら薄闇《うすやみ》の中で目を開けて自分がなんだかとてつもなく巨大なものと戦っているような気がした。そして、もしかしたら自分は負けるかもしれないと生まれて初めて心から思った。

等を失ったことは痛い。痛すぎる。

彼と抱き合う度、私は言葉でない言葉を知った。親でもない自分でもない他人と近くにいることの不思議を思った。その手を胸を失って、私は人がいちばん見たくないもの、人が出会ういちばん深い絶望の力に触れてしまったことを感じた。淋しい。ひどく淋しい。今が最悪だ。今を過ぎればとりあえず朝になるし、大笑いするような楽しいこともあるに違いない。光が降れば。朝が来れば。

いつもいつもそう思って歯を食いしばったが、立ち上がって川原の景色に行く力のない今は、ただ苦しかった。じりじりと砂をかむような時間がゆく。私は川原に今行けば、本当に等がさっきの夢のように立っている気さえした。気が狂いそうだった。腐りそうだった。

私はのろのろと起き上がり、お茶を飲もうと台所へ歩いた。ひどくのどが渇いていた。熱のせいで家中がシュールにゆがんで見え、家族が寝静まった台所はしんしん寒く暗かった。私は熱いお茶をふらふらしながら淹《い》れて自分の部屋へ戻った。
そのお茶でずいぶん具合はよくなった気がした。のどの渇きがいえると呼吸が楽になった。私は半身を起こしてベッドのわきの窓のカーテンを開けた。

私の部屋からは、ちょうど家の門と庭がよく見える。庭木や花が青い空気の中でさわさわ揺れて、パノラマのように平たい色彩で広がって見えた。きれいだった。夜明けの青の中でなにもかもがこんなに浄化されて見えることを私は最近知った。そうして外を眺めていて、私は家の前の歩道をこちらへ歩いてくる人影を見つけた。近づいてくるにつれて、私は夢かと思い、何度もまばたきした。それはうららだった。青い服を着て、にこにこ笑いながら私を見てこちらにやってくる。門の所に立ち、彼女は入ってもいい？　と口を動かした。私はうなずいた。彼女は庭を抜けて窓の下まで来た。私は窓を開けた。どきどきしていた。

「あー寒い。」

と彼女は言った。外からのひんやりした風が入ってきて、熱っぽいほほを冷やした。透きとおった空気がおいしかった。

「どうしたのー？」

私はたずねた。きっと私は小さい子のように嬉《うれ》しそうに笑ったと思う。

「朝帰りの散歩。あなたは風邪が悪そうね。ビタミンCのあめをあげる。」

ポケットからキャンディを出して私に渡しながら、とても透明に彼女はほほえんだ。

「いつもすいません。」

私はかすれた声で言った。

「熱がたくさんありそう。つらいね。」

彼女は言った。

「うん。今朝は走ることもできやしない。」

私は言った。なんだか私は泣きたかった。

「風邪はね。」うららは少しまつげをふせて淡々と言った。「今がいちばんつらいんだよ。死ぬよりつらいかもね。でも、これ以上のつらさは多分ないんだよ。その人の限界は変わらないからよ。またくりかえし風邪ひいて、今と同じことがおそってくることはあるかもしんないけど、本人さえしっかりしてれば生涯ね、ない。そういう、しくみだから。そう思うと、こういうのがまたあるのかっていやんなっちゃうっていう見方もあるけど、こんなもんかっていうのもあってつらくなくなんない?」そして、笑って私を見た。

私は黙って目を丸くした。この人は本当に風邪についてだけ言ってるんだろうか。なにを言ってるんだろうか。——夜明けの青と熱がすべてをかすませて、私には夢とうつつの境目がよくわからなかった。ただ言葉を心に刻みながら、話すうららの前髪がさやさや吹く風に揺れるのをぼんやり見つめていた。

「じゃあ、明日ね。」

と笑うと、うららはゆっくりと外から窓を閉めた。そしてステップをふむような軽い足どりで門を出ていった。

私は夢の中に浮いているように、その姿を見送っていた。つらかった夜の終わりに彼女がやってきてくれたことが、私は涙が出るほど嬉しかった。この幻想のような青いもやの中をあなたが来てくれて、夢のように嬉しいと伝えたかった。なんだか、目が覚めたらなにもかも少しよくなるようにさえ、思えた。そして眠りについた。

目が覚めたら、少なくとも風邪だけは少しよくなっていることがわかった。なんとよく眠ったことか、夕方になっていた。私は起き上がって、シャワーを浴び、すっかり着替えると、ドライヤーをかけた。熱は下がり、体がだるい以外は元気になっていた。

うららは本当に来たのだろうか、と私は髪を乾かす熱風の中で思っていた。夢としか思えなかった。そしてあの言葉は本当に風邪のことだったろうか。夢の中に響くような言葉だった。

たとえば鏡に映る自分の顔にほんの少し深い影が落ちていることが、また本当につらい夜が揺り返しのようにやってくることを予感させた。考えたくもないほど疲れる。本当に疲れる。それでも——たとえはってでもくぐり抜けたい。

たとえば、今は昨日よりも少し楽に息ができる。また息もできない孤独な夜が来るに違いないことは確かに私をうんざりさせる。このくりかえしが人生だと思うとぞっとしてしまう。それでも、突然息が楽になる瞬間が確実にあるということのすごさが私をときめかせる。度々、ときめかせる。

そう思うと、少し笑える。急に熱が冷めて私の思考は酔っぱらいのようだった。その時、突然にノックの音がした。母かと思いはいはいと言うと、ドアが開いて柊が入ってきたので驚いた。本当に驚いた。

「お母さんが何回呼んでも返事がないって言うんで。」

柊は言った。

「ドライヤーの音で聞こえなかった。」

と私は言った。洗いざらしのみっともない髪をしていたのでどぎまぎしたが、

「電話したらひどい風邪で、知恵熱らしいって君のお母さんが言うもんだから見舞いに来た。」

と柊は全然かまわずに笑った。そういえばよく等と一緒に彼はここに来たことを思い出した。祭りの時や、野球を見た帰りや。だから、まるでいつものようにクッションを引っぱり出してよいしょとすわった。忘れていたのは私だ。

「これが見舞いの品だ。」柊は大きな紙袋を見せて笑った。私は今さらもう治ったとは言いづらくなって、わざとせきをしてみせざるをえないくらい、彼は親切だった。「君の大好きなケンタッキーのチキンフィレサンドと、シャーベットだ。コーラもあるよ。ワタシの分もあるからさ、一緒に食べよう。」

あまり、そう思いたくなかったが彼は私に対して〝ハレモノに触るよう〟だった。きっと、母親がなにか言ったのだろう、と私は思って恥ずかしかった。かといって、私は元気よ、なに言ってんのと言えるほど調子がいいわけでもなかった。

明るい部屋、あたたかいストーブの熱気の中で、床にすわって二人は淡々とそれらのものを食べた。私はとても、とてもおなかが空《す》いていたことに気づいて、とてもおいしく食べた。この子の前では私はいつもおいしくものを食べている気がした。そして、そ

れはすごくいいことであるように思う。

「さつき。」

「はい？」

そういうことをぼんやり考えていた私は柊が呼んだのではっと顔を上げた。

「ひとりで、そんなにどんどんやせて、熱が出るまで頭を悩ませてはいけない。そんなひまがあったらワタシを呼び出しなさいよ。遊びに行こう。会うごとに、どんどんやつれていくのに人前では平気にしているなんて、エネルギーの無駄遣いだ。等と君は本当に仲良しだったんだから、死ぬほど悲しいんでしょ。あたりまえでしょ。」

彼はいっぺんにそれだけのことを言った。私はびっくりした。彼のこういう幼い思いやりが自分に向けられたのは初めてだった。もっと、クールなことが好きな子かと思っていたから、あまり意外でかえって心に素直に入ってきた。等が、家族のことだけ子供に戻ると思い出し笑いをしていた本当の気持ちがよくわかった気がした。

「確かにワタシはまだ若いですし、セーラー服着てないと泣きそうなくらい頼りにならないですけど、困った時は人類はきょうだいでしょ？　ワタシは君のことをひとつふとんに入ってもいいくらい好きなんだから。」

彼は全く真顔で、なにも変なことを言っているつもりがないらしかったので、変わってるなあ、と思ってこらえ切れず私は笑った。そして心から言った。

「そうする。ほんと、そうするわ。ありがとう。本当にありがとう。」

柊が帰ってから私はまた眠った。風邪薬のせいか、久しぶりに安らかに、夢も見ずに深く眠った。それは、幼い頃のクリスマスイヴのようにどきどきした神聖な眠りだった。目を覚ましたら、うららの待つ川原へ、そのなにかを見に行くのだ。

夜明け前。

まだ体が本調子ではなかったが、着替えて私は走った。しんしんと凍りつくような、月影が空にはりつくような夜明けだった。私の走る足音が静かな青に響き渡り、ひそやかに吸い込まれて街に消えていった。

橋には、うららが立っていた。私がたどり着くと、ポケットに手を入れ、マフラーに半分顔を埋めたまま、きらきらした瞳《ひとみ》で笑って、

「おはよう。」

と言った。

星がひとつ二つ、消えそうにほの白く、ちらちらと青磁の空にまたたいていた。それは、ぞっとするくらい美しい光景だった。川音は激しく、空気は澄んでいる。

「体まで青に溶けそうに青いね。」

手を空にかざして、うららが言った。

木々が、風にざわざわと揺れるシルエットが淡く映る。ゆっくりと、天空は動く。月の光が薄闇に射《さ》してくる。

「時間だ。」うららの声は張りつめていた。「いい？ 今から少し、ここの次元や空間や時間や、そういったものが揺れたり、ずれたりする。あなたとあたしは並んでいてもお互いが見えなくなるかもしれないし、全く違うものを見るでしょう。……川の向こうにね。決して声を出したり、橋を渡らないで。いいかい？」

「ＯＫ。」

私はうなずいた。


そして沈黙が訪れた。川音だけがごうごう響く中で、うららと並んで向こう岸を見つめていた。胸がどきどきして、足がふるえるように思えた。少しずつ、夜明けが近づいてくる。空の青がみずず色に変わり、鳥の声がくりかえしやってくる。

私は、耳の底にかすかにある音が聞こえる気がした。はっとして横を見ると、うららはいなかった。川と、私と、空と——そして風や川の音にまぎれて、聞き慣れたなつかしい音がした。

鈴。間違いなく、それは等の鈴の音だった。ちりちり、とかすかな音を立てて誰もいないその空間に鈴は鳴った。私は目を閉じて風の中でその音を確かめた。そして、目を開けて川向こうを見た時、この二カ月のいつよりも自分は気が狂ったのだと感じた。叫び出すのをやっとのことでこらえた。

等がいた。

川向こう、夢や狂気でないのなら、こっちを向いて立っている人影は等だった。川をはさんで——なつかしさが胸にこみ上げ、その姿形のすべてが心の中にある思い出の像と焦点を合わせる。

彼は青い夜明けのかすみの中で、こちらを見ていた。私が無茶をした時にいつもする、心配そうな瞳をしていた。ポケットに手を入れて、まっすぐ見ていた。私はその腕の中で過ごした年月を近く遠く、想《おも》った。私たちはただ見つめ合った。二人をへだてるあまりにも激しい流れを、あまりにも遠い距離を、薄れゆく月だけが見ていた。私の髪と、なつかしい等のシャツのえりが川風で夢のようにぼんやりとなびいた。

等、私と話したい？　私は等と話がしたい。そばに行って、抱き合って再会を喜び合いたい。でも、でも——涙があふれた——運命はもう、私とあなたを、こんなにはっきりと川の向こうとこっちに分けてしまって、私にはなすすべがない。涙をこぼしながら、私には見ていることしかできない。等もまた、悲しそうに私を見つめる。時間が止まればいいと思い――しかし、夜明けの最初の光が射した時にすべてはゆっくりと薄れはじめた。見ている目の前で、等は遠ざかってゆく。私があせると、等は笑って手を振った。何度も、何度も手を振った。青い闇《やみ》の中へ消えてゆく。私も手を振った。なつかしい等、そのなつかしい肩や腕の線のすべてを目に焼きつけたかった。この淡い景色も、ほほをつたう涙の熱さも、すべてを記憶したいと私は切望した。彼の腕が描くラインが残像になって空に映る。それでも彼はゆっくりと薄れ、消えていった。涙の中で私はそれを見つめた。

完全に見えなくなった時、すべてはもといた朝の川原に戻っていた。横に、うららが立っていた。うららは、身を切られそうな悲しい瞳をして横顔のままで、

「見た？」

と言った。

「見た。」

と涙をぬぐいながら私は言った。

「感激した？」

うららは今度はこちらを向いて笑った。私の心にも安心が広がり、

「感激した。」

とほほえみ返した。光が射し、朝が来るその場所に、二人でしばらく立っていた。

朝一番のドーナツショップで、熱いコーヒーを飲みながら、少し眠い瞳でうららは言った。

「あたしも、変な形で死に別れた恋人と、最後の別れができるかもしれないのでこの街に来た。」

「会えた？」

私はたずねた。

「うん。」うららはちょっと笑い、言った。「本当に百年に一回くらいの割合で、偶然が重なり合ってあいうことが起きることがある。場所も時間も決まってないの。知っている人は、七夕現象と呼ぶ。大きな川の所でしか起こらないからよ。人によっては全く見えない。死んだ人の残留した思念と、残された者の悲しみがうまく反応した時にあいうかげろうになって見えるのよ。あたしも、初めて見た。……あなたは、きっと、ついてるんだと思うわ。」

「……百年ね。」

その見当もつかない確率の低さに私は思いをはせた。

「ここに着いた時、下見に行ったらあなたがあそこに立っていた。あなたはきっと、誰かを亡《な》くしたんだと、けもののカンでわかった。だから、お誘いした。」

朝の光が髪をすかして、そう言って笑ううららは静かな彫像のようにゆるぎなかった。この人は本当はどういう人なのか。どこから来て、どこへ行くのか。そして、さっき川向こうにどんな人を見ていたのか……。たずねることはできなかった。

「別れも死もつらい。でもそれが最後かと思えない程度の恋なんて、女にはひまつぶしにもなんない。」うららはドーナツをもぐもぐ食べながら世間話でもするようにそう言った。

「だから、今日ちゃんとお別れできて、よかったと思う。」

そして、それはとても悲しい瞳だった。

「……うん、私も。」

私は言った。すると、うららは陽ざしの中でやさしく目を細めた。

手を振る等。それは心に光がしみてくるような痛い場面だった。よかったのかどうか、本当のところ私にはまだ理解できない。ただ強い陽光の中で、今はまだその余韻に胸が痛いだけだ。息ができないくらい切ない。

それでも、それでも私はその時目の前でほほえむうららを見ながら、薄いコーヒーの香りの中で、自分が非常に〝なにか〟の近くにいると強く感じた。風で窓ががたがた揺れる。それは、別れる時の等のように、どんなに心を開いて目をこらしても確実に通り過ぎていってしまうものだった。そのなにかは太陽のように闇の中で強く輝き、私はすごい速さでそこを通過する。賛美歌のように祝福が降りそそぎ、私は祈る。

〝もっと、強くなりたい〞と。

「これから、またどこかへ行くの？」

店を出て私はたずねた。

「うん。」彼女は笑って私の手を取った。「またいつか会いましょう。電話番号はずっと忘れない。」

そして、朝の街の、人の波にまぎれて去っていった。見送りながら、私は思った。

私も忘れない。私にたくさんのものをくれたあなたを。

「ワタシ、この間見てしまったんですよ。」

と柊が言った。

遅れていた誕生日のプレゼントを渡しに、母校の昼休みを訪ねていった時のことだ。

グラウンドのベンチで、走る学生たちを見ながら待っていた私に向かって走ってきた彼はセーラー服ではなかったので驚いていると、となりにすわるなりそう言った。

「なにを？」

と私は言った。

「ゆみこ。」

彼は言った。私はどきりとした。白い体操服を着た人々が土ぼこりを上げながら目の前をまた通り過ぎていった。

「おとといの朝だったかな。」彼は続けた。「夢だったかもしれない。うとうと眠ってたら急にドアが開いて、ゆみこが入ってきたんだよ。あんまり普通に入ってきたもので、死んでたことを忘れて、ゆみこ？　って言ったら、しーって言って人さし指を立てて、笑った。……やっぱり、夢っぽいな。それから、ワタシの部屋のクロゼットを開けて、セーラー服をていねいにとり出して、抱えていってしまったよ。ばいばいって口を動かして、笑って手を振って。ワタシはどうしていいかわからなくて、また寝てしまった。やはり、夢かなあ。でも、セーラー服はないんだよね。どこを探してもな。ワタシは、思わず泣いてしまったよ。」

「……うん。」

私は言った。もしかしたら、川辺だけでなくて、そういうことがあの日なら、あの朝の中でならあったかもしれないのだ。うららはもういないので、わかりようもなかった。しかし彼は平然としているので、もしかしたらこの人はすごい人なのかもしれない、と私は思った。あそこでしか起こらない現象を手の内に呼び寄せたのかもしれない。

「ワタシ、気が変なんでしょうか。」

柊が、ふざけて言った。

薄陽の射す春の午後、校舎から昼休みのざわめきが風にのって聞こえてくる。プレゼントのレコードを差し出しながら、私は笑って言った。

「そういう時は、ジョギングをするといいですよ。」

柊も笑った。光の中でたくさん笑った。

私は幸せになりたい。長い間、川底をさらい続ける苦労よりも、手にしたひと握りの砂金に心うばわれる。そして、私の愛する人たちがすべて今より幸せになるといいと思う。

等。

私はもうここにはいられない。刻々と足を進める。それは止めることのできない時間の流れだから、仕方ない。私は行きます。

ひとつのキャラバンが終わり、また次がはじまる。また会える人がいる。二度と会えない人もいる。いつの間にか去る人、すれ違うだけの人。私はあいさつを交わしながら、どんどん澄んでゆくような気がします。流れる川を見つめながら、生きねばなりません。

あの幼い私の面影だけが、いつもあなたのそばにいることを、切に祈る。

手を振ってくれて、ありがとう。何度も、何度も手を振ってくれたこと、ありがとう。

文庫版あとがき

そののちのこと

この小説がたくさん売れたことを、息苦しく思うこともあった。

あの時代のものすごい波に飲まれてしまって、なんとなく自分の生き方までが翻弄《ほんろう》されるような感じがした。

私の実感していた「感受性の強さからくる苦悩と孤独にはほとんど耐えがたいくらいにきつい側面がある。それでも生きてさえいれば人生はよどみなくすすんでいき、きっとそれはさほど悪いことではないに違いない。もしも感じやすくても、それをうまく生かしておもしろおかしく生きていくのは不可能ではない。そのためには甘えをなくし、傲慢《ごうまん》さを自覚して、冷静さを身につけた方がいい。多少の工夫で人は自分の思うように生きることができるに違いない」という信念を、日々苦しく切ない思いをしていることでいつしか乾燥してしまって、外部からのうるおいを求めている、そんな心を持つ人に届けたい。

それだけが私のしたいことだった。

そういう感じ方が存在することを小説を通してでも知れば、自殺しようとする人がたとえ数時間でも、ふみとどまってくれるかもしれない。

また私は人に相談されやすいのに相談されるのが大嫌いで、でもなんらかの形で世の中の役にたちたい、そういう一念もあった。

そして様々に微妙な感じ方を通して、この世の美しさをただただ描きとめていきたい、いつでも私のテーマはそれだけだ。

愛する人たちともいつまでもいっしょにいられるわけではないし、どんなすばらしいことも過ぎ去ってしまう。どんな深い悲しみも、時間がたつと同じようには悲しくない。そういうことの美しさをぐっと字に焼きつけたい。少しでも私の作品が人々の心にしみこむなら、必要としている人にだけでいいから、ちゃんと届くものを書き続けたいというだけだ。

その考えをかたくなに持った当時の、小娘だった私には、必要としない人まで読んでくれてしまったことにおおらかな喜びを感じる許容量はとてもなかったのだと思う。

おばさんになり図太くなった今となっては「なるようになってああなったんだから、よかったところだけを楽しい思い出にしよう」「あれだけ読んでもらったんだから、ひとつの役目は果たした。もうあとは自由に、自分の好きなようにやっていいんだ」という楽しい気持ちに変わりつつある。

飲みに行った先でおかまのママに「あんた、またそろそろあのくらいのヒットを飛ばさないとね！」なんて言われても「違うんだけどなあ」なんていつも笑っている。そんなふうに笑える日がきて、ほんとうによかったと思う。

この小説はいろいろな人にいろいろな読まれ方をされて、すばらしい評論もたくさんしていただいた。どれもがとても光栄だった。

そして今でも忘れられないのは友達の井沢君が言った「吉本のあの小説で、この世の女の子のマイナー性が一気に花開いて、表に出て来ちゃったんだよな」という言葉だ。

もしも読者の隠されていた感受性が解放されたなら、それで充分、私は自分の仕事を果たすことができたと思う。

そんなふうに世の中に旅に出て、みんなに愛されて帰ってきた子供のような、新しい表紙の「キッチン」をお届けできることがとても嬉《うれ》しいです。

快く文庫化に賛成してくださった松家仁之さん、いつでも私の作品を私以上に愛してくださる根本昌夫さん、すばらしいセンスを惜しみなく発揮してすばらしい挿画と装丁を作りながらこつこつとおつきあいしてくださる、真に心の美しい増子由美さん、本当にありがとうございました。

いつも助けてくれる事務所のスタッフにも心から感謝しています。

この表紙の「キッチン」が読んでくださる人にとってよき友となりますように、心から祈っています。

2002年　春

吉本ばなな

本書は一九八八年一月、福武書店より刊行され、一九九一年十月に
福武文庫、一九九八年六月に角川文庫として刊行された。

吉本ばなな著
とかげ
私のプロポーズに対して、長い沈黙の後とかげは言った。「秘密があるの」。ゆるやかな癒しの時間が流れる6編のショート・ストーリー。

吉本ばなな著
キッチン
海燕新人文学賞受賞
淋しさと優しさの交錯の中で、世界が不思議な調和にみちている――〈世界の吉本ばなな〉のすべてはここから始まった。定本決定版！

吉本ばなな著
アムリタ（上・下）
会いたい、すべての美しい瞬間に。感謝したい、今ここに存在していることに。清冽でせつない、吉本ばななの記念碑的長編。

吉本ばなな著
うたかたサンクチュアリ
人を好きになることはほんとうにかなしい――運命的な出会いと恋、その希望と光を瑞々しく静謐に描いた珠玉の中編二作品。

吉本ばなな著
白河夜船
夜の底でしか愛し合えない私とあなた――生きてゆくことの苦しさを「夜」に投影し、愛することのせつなさを描いた〝眠り三部作〟。

よしもとばなな著
なんくるない
どうにかなるさ、大丈夫。沖縄という場所が、人が、言葉が、声ならぬ声をかけてくる――。何かに感謝したくなる四つの滋味深い物語。

よしもとばなな著

みずうみ

深い傷を心に抱えた中島くんと、ママを亡くした私に、湖畔の一軒家は静かに呼びかける。損なわれた魂の再生を描く奇跡の物語。

よしもとばなな著

王国
―その1 アンドロメダ・ハイツ―

愛と尊敬の上に築かれる新しい我が家。大きな愛情の輪に守られた、特別な力を受け継ぐ女の子の物語。ライフワーク長編第1部！

河合隼雄
吉本ばなな著

なるほどの対話

個性的な二人のホンネはとてつもなく面白く、ふかい！ 対話の達人と言葉の名手が、自分のこと、若者のこと、仕事のことを語り尽す。

よしもとばなな著

ハゴロモ

失恋の痛みと都会の疲れを癒すべく、故郷に舞い戻ったほたる。懐かしくもいとしい人々のやさしさに包まれる――静かな回復の物語。

よしもとばなな著

どんぐり姉妹

姉はどん子、妹はぐり子。たわいない会話に命が輝く小さな相談サイトの物語。メールに祈りを乗せて、どんぐり姉妹は今日もゆく！

よしもとばなな著

さきちゃんたちの夜

友を捜す早紀《さき》。小鬼と亡きおばに導かれる紗《さ》季《き》。秘伝の豆スープを受け継ぐ咲《さき》。〈さきちゃん〉の人生が奇跡にきらめく最高の短編集。

湯本香樹実著　春のオルガン

いったい私はどんな大人になるんだろう？ 小学校卒業式後の春休み、子供から大人へとゆれ動く12歳の気持ちを描いた傑作少女小説。

梨木香歩著　裏　庭
児童文学ファンタジー大賞受賞

荒れはてた洋館の、秘密の裏庭で声を聞いた――教えよう、君に。そして少女の孤独な魂は、冒険へと旅立った。自分に出会うために。

梨木香歩著　西の魔女が死んだ

学校に足が向かなくなった少女が、大好きな祖母から受けた魔女の手ほどき。何事も自分で決めるのが、魔女修行の肝心かなめで……。

梨木香歩著　からくりからくさ

祖母が暮らした古い家。糸を染め、機を織る、静かで、けれどもたしかな実感に満ちた日々。生命を支える新しい絆を心に深く伝える物語。

江國香織著　ホリー・ガーデン

果歩と静枝は幼なじみ。二人はいつも一緒だった。30歳を目前にしたいまでも……。対照的な女性二人が織りなす、心洗われる長編小説。

江國香織著　流しのしたの骨

夜の散歩が習慣の19歳の私と、タイプの違う二人の姉、小さな弟、家族想いの両親。少し奇妙な家族の半年を描く、静かで心地よい物語。

江國香織著

すいかの匂い

バニラアイスの木べらの味、おはじきの音、すいかの匂い。無防備に心に織りこまれてしまった事ども。11人の少女の、夏の記憶の物語。

宮木あや子著

花宵道中

R-18文学賞受賞

あちきら、男に夢を見させるためだけに、生きておりんす――江戸末期の新吉原、叶わぬ恋に散る遊女たちを描いた、官能純愛絵巻。

町田康著

夫婦茶碗

あまりにも過激な堕落の美学に大反響を呼んだ表題作、元パンクロッカーの大逃避行「人間の屑」。日本文藝最強の堕天使の傑作二編！

舞城王太郎著

阿修羅ガール

三島由紀夫賞受賞

アイコが恋に悩む間に世界は大混乱！同級生は誘拐され、街でアルマゲドンが勃発。アイコはそして魔界へ!?今世紀最速の恋愛小説。

川上弘美著

ニシノユキヒコの恋と冒険

姿よしセックスよし、女性には優しくこまめ。なのに必ず去られる。真実の愛を求めさまよった男ニシノのおかしくも切ないその人生。

川上弘美著

センセイの鞄

谷崎潤一郎賞受賞

独り暮らしのツキコさんと年の離れたセンセイの、あわあわと、色濃く流れる日々。あらゆる世代の共感を呼んだ川上文学の代表作。

新潮文庫最新刊

原　武史著
「線」の思考
―鉄道と宗教と天皇と―
天皇とキリスト教？　ときわか、じょうばんか？　山陽の「裏」とは？　鉄路だからこそ見えた！　歴史に隠された地下水脈を探る旅。

柳瀬博一著
国道16号線
―「日本」を創った道―
横須賀から木更津まで東京をぐるりと囲む国道。このエリアが、政治、経済、文化に果たした重要な役割とは。刺激的な日本文明論。

奥野克巳著
ありがとうもごめんなさいもいらない森の民と暮らして人類学者が考えたこと
ボルネオ島の狩猟採集民・プナンには、感謝や反省の概念がなく、所有の感覚も独特。現代社会の常識を超越する驚きに満ちた一冊。

D・R・ポロック
熊谷千寿訳
悪魔はいつもそこに
狂信的だった亡父の記憶に苦しむ青年の運命は、邪《よこしま》な者たちに歪められ、暴力の連鎖へ巻き込まれていく……文学ノワールの完成形！

杉井　光著
世界でいちばん透きとおった物語
大御所ミステリ作家の宮内彰吾が死去した。『世界でいちばん透きとおった物語』という彼の遺稿に込められた衝撃の真実とは――。

加藤千恵著
マッチング！
30歳の彼氏ナシOL、琴実。妹にすすめられアプリをはじめてみたけれど――。あるあるが満載！　共感必至のマッチングアプリ小説。

キッチン

新潮文庫　よ－18－2

平成十四年七月一日発行
令和五年五月二十五日三十一刷

著者　吉《よし》本《もと》ばなな

発行者　佐藤隆信

発行所　株式会社新潮社

郵便番号　一六二―八七一一
東京都新宿区矢来町七一
電話　編集部(〇三)三二六六―五四四〇
　　　読者係(〇三)三二六六―五一一一
https://www.shinchosha.co.jp

価格はカバーに表示してあります。

乱丁・落丁本は、ご面倒ですが小社読者係宛ご送付ください。送料小社負担にてお取替えいたします。

印刷・株式会社精興社　製本・株式会社大進堂

ISBN978-4-10-135913-7 C0193